다시, 당신의 이름은 무엇인가요 II

일러두기

- 인스타 독서기록모임(인독기) 커뮤니티의 일책성장 공저 2기 글벗들의 모음집입니다.
- 일부 표준어가 아닌 단어는 저자 고유의 입말을 살린 것입니다.
- 문단 나누기, 쉼표 하나도 작가의 의도가 숨어있으리라 생각되어, 최대한 원글을 살렸습니다.

작가소개

권혜영

지극히 평범하게 살고 있는 두 딸의 엄마이자 네 명의 손자 손녀를 둔 할머니이다. 엄마의 딸로 살면서 늘 엄마의 사랑에 굶주렸다. 그래서 늘 내가 세상에서 제일 외롭다고 생각해왔다.

이번에 엄마에 대한 글을 쓰면서 깨달았다. 정말로 처절하게 외로웠던 건 내가 아니라 엄마였던 것이다. 그 외로웠던 마음을 쓰다듬어 드리고 싶은데 엄마가 내 곁을 떠나버렸다. 살면서 깨달은 '나중에' 라는 단어를 버리고 '지금 바로 실천하자' 로 바꾸면서 매일 글쓰기를 하며 나를 알아가는 시간을 가지고 있다.

내 딸들에게 엄마를 떠올리면 행복한 미소가 입가에 번지는 자랑스런 엄마가 되기 위해 끊임없이 노력하는 중이다.

문미영

2년 넘게 인독기를 통해 책을 읽고 글을 쓰고 있다.

결혼한 지 7년이 되었지만 임신이 되지 않아 시험관 시술을 하면서 마음고생을 많이 했다. 그러다 우연히 가입하게 된 인독기를 통해 성장해나가고 있다.

서평 활동을 하며 출판사로부터 책을 지원받아 책을 읽고 서평을 작성하는 활동을 하며, 매일 글을 쓰기 시작한 지 260일이 넘었다. '책과 글을 통해 성장해나가는 힘'을 믿고 있다.

인독기 전자책 쓰기를 통해 '7년차 난임부부입니다' 책을 출간하였으며 '엄마'라는 주제로 두번째 전자책을 쓰고 있다. 난임에 관련하여 개인 저서 출간준비중에 있으며 '글쓰기'를 주제로 공저책을 쓰고 있다. 글을 쓰는 것에 진심이다.

2024년에는 더 다양한 분야로 책을 읽고 글을 쓰려고 한다.

손유진

19년 차 일본어 강사이자 8년째 초, 중 공부방 원장.

전자책, POD도서 출간 리더. 북링 독서모임 리더.

독서의 매력에 빠진 독자로는 25년이 되었다. 작가들의 글을 읽으며 언젠가 나도 저렇게 글을 써야겠다고 생각하던 것을 이뤄나가는 중이다. 10년 뒤에도 쓰고 있을 것이다. 꾸준히 기록해나가는 사람이 진정한 작가라 믿는다. 글 쓰고 책 만드는 일을 꾸준히 하고 좋은 글벗들과 오래도록 쓰고 싶은 마음이다. 가르치지 않고 그저 스며드는 영향력으로 사람의 능력을 끌어 내주는 삶을 살고자 한다.

인선민

이혼으로 19년째 엄마이자 가장으로 살아가고 있다. 삶의 위기의 순간 책을 통해 답을 찾는 방법을 알게 되었다. 책을 읽고 기록하며 깨달음을 얻으며 글쓰기를 시작했다. 브런치 작가로 활동하고 있으며 인스타 북스타그래머로 활동한다. 인독기 독서습관 코치로 활동하고 있으며, 인북클럽_문학살롱 외 다수 독서모임 참여 중이다. 홍승은 작가와 함께하는 글 전시회에 1회 참여하며 글쓰기를 꾸준히 하고 있다. 엄마같은 엄마는 되고 싶지 않았던 엄마 선민, 수시로 길을 잃고, 처절하게 막힌 길 앞에서도 엄마로, 한 사람으로, 바로 서고자 흔들리며 나아가고 있다.

차례

당신에게 이 글을 바칩니다/손유진/5

제1화 엄마의 삶에 엄마의 선택권은 없었다/권혜영/8

제2화 엄마도 엄마가 처음이라서 서툴렀을 뿐인데/문미영/56

제3화 돌아갈 수밖에 없는 이유는 엄마였습니다/손유진/79

제4화 엄마를 닮고 싶지 않았습니다/인선민/114

에필로그/김세희/191

당신에게 이 글을 바칩니다.

모든 인생에는 각자의 이야기가 있습니다. 그중에서도 가장 깊고, 때로는 가장 아픈 이야기는 '엄마'에 관한 것일지도 모릅니다. 이 책은 9명의 작가들이 그들의 '엄마'에 대해 써 내려간 소중한 기록입니다. 퇴고를 하며 한 분 한 분의 글을 읽는 내내 했던 생각입니다. '사람 사는 모습이란 어느 집이나 같구나'. 우리 모두의 삶은 다르면서도 같습니다. 어느 집 하나 드라마처럼 평화롭고 완벽한 곳은 없으니까요.

시인의 말처럼, '자세히 보아야 오래 보아야 예쁜 것'이 우리의 삶입니다. 세밀하고 오래도록 들여다볼수록, 우리 삶의 진정한 아름다움과 아픔이 드러납니다. 이 책에 담긴 9명의 작가들의 어린 시절을 통해, 우리는 그들의 삶 속 깊은 감정과 경험을 공감하게 됩니다. 각 페이지를 넘길 때마다, 눈가에 맺히는 눈물은 작가님들의 내면 아이들에게 보내는 위로와 공감입니다.

한 사람을 이해하는 가장 빠른 길은 그의 글을 읽는 것입니다. 인독기 가족들의 어린 시절을 만나는 것은 저에게는 큰 축복이었으며, 그들의 삶을 통해 나의 삶도 성찰하게 된 계기가 되었습니다.

엄마의 삶을 들여다보면, 거기에는 놀랍게도 우리 자신의 모습이 보입니다. 이 책의 주제는 바로 그 이유에서 매우 의미 있는 작업이 되었습니다. 우리 중 어떤 이는 엄마처럼 살기를 원치 않고, 또 어떤 이는 엄마의 삶을 살고자 합니다. 어떤 선택을 하든, 삶은 결국 서로 비슷한 면을 지닙니다.

결혼이라는 수단을 통해 우리는 엄마처럼 살기를 거부하거나, 혹은 엄마와 비슷한 삶을 살기 위한 방편으로 삼기도 했습니다. 이 책을 통해, 작가들은 자신들의 삶과 엄마의 삶이 어떻게 얽혀 있는지, 그리고 그 속에서 우리 모두가 공유하는 인생의 본질을 들여다보는 시간을 가져보시길 바랍니다.

엄마에 대한 이야기는 단순히 과거를 회상하는 것이 아닙니다. 그것은 우리 자신을 돌아보고, 우리가 어떻게 현재의 모습이 되었는지를 이해하는 과정입니다. 이 책 속의 이야기들은 각자 다른 시간과 공간에서 펼쳐지지만, 그 속에 담긴 사랑과 갈등, 기쁨과 슬픔은 우리 모두가 공감할 수 있는 보편적인 감정입니다. 우리가 엄마를 통해 배우는 것은 단순히 어머니의 삶이 아니라, 인간으로서의 삶의 복잡성과 깊이입니다.

각기 다른 배경을 가진 9명의 작가들이 어머니와의 관계를 통해 자신들의 정체성을 탐색하고, 성장하는 과정을 담고 있습니다. 어떤 이는 어머니의 강인함에 감탄하며 그녀처럼 되고자 합니다. 다른 이는 어머니와는 다른 길을 걷고자 결심하며, 그 과정에서 새로운 자아를 모색해 갑니다. 이러한 다양한 경험들은 우리 모두가 고유한 방식으로 삶을 살아간다는 것을 보여줍니다.

이 책의 페이지를 넘기면서, 우리는 각 작가의 어린 시절 모습을마주하게 됩니다. 그들의 눈을 통해 보는 세상, 그들이 경험한 사랑과 슬픔, 그리고 그들이 어떻게 성장하고 변화했는지를 목격하게 됩니다. 이는 단순히 한 개인의 성장기가 아니라, 우리 모두가 공유할 수 있는 인간적인 경험의 집합체입니다.

결국, 이 책은 엄마에 대한 이야기를 통해 우리 자신을 더 깊이 이해하고, 우리 삶의 의미를 찾아가는 여정입니다. 우리는 모두 어머니를 통해 태어났고, 어머니의 삶을 통해 우리 자신의 삶을 바라볼 수 있습니다. 이 책은 그러한 관계의 아름다움과 복잡성을 탐구하고, 그 속에서 우리 자신을 발견하는 기회를 제공합니다.

이 책을 통해, 여러분 자신의 삶과 어머니에 대한 추억을 되새겨보시기 바랍니다. 여러분의 마음에 깊은 울림을 전해줄 이 책이 여러분에게 위안과 통찰을 제공하기를 바랍니다. 우리의 삶은 어머니의 삶과 긴밀하게 연결되어 있으며, 그 속에서 우리는 사랑과 인내, 강인함과 연민을 배웁니다. 이 책이 여러분의 마음에 잘 닿기를 희망합니다.

"당신의 이름은 무엇인가요."

어머니, 엄마, 사랑해요.

일책성장 코치 손유진 올림

엄마의 삶에 엄마의 선택권은 없었다

권혜영

엄마의 삶에 엄마의 선택권은 없었다.

권혜영

엄마의 삶에 엄마의 선택권은 없었다.

외할머니는 엄마가 10살 때 돌아가셨다. 어린 나이에 엄마는 여동생 두 명과 부모 없는 세상에 버려졌다. 외할머니는 중풍을 앓으셨다고 했다. 옛날에도 젊은 나이에 중풍이라는 병을 앓기도 했나보다. 외할아버지에 대해서는 전혀 아는 바가 없다. 처음부터 존재하지 않았던 것처럼 엄마는 외할아버지에 대해서는 한 번도 말하지 않았다. 나도 물어보지도 않았다. 엄마는 외할머니 대신해서 온갖 심부름과 집안일을 도와야 했다. 한창 부모의 사랑을 받고 어리광부리며 보호를 받아야 할 나이에 엄마는 되레 할머니를 보호해야 했다. 학교에도 가지 못했다. 엄마는 학교에 가고 싶었다. 잠시라도 시간이 나면 학교로 달려간다. 학교 복도로 들어가면 각 교실 창문에는 교실을 들여다볼 수 있는 조그만 창문이 있었다고 한다.

창문에 눈을 바짝 대고는 깨끔발로 뒷꿈치 바짝 들어서 엄마는 시간이 나는 대로 교실 밖 공부를 했다. 선생님이 칠판에 글씨를 써놓으면 엄마는 연필에 침을 묻혀가면서 또박또박 써가며 한 글자 한 글자씩 한글을 배웠다. 구구단도 걸어 다니면서 외우고 또 외웠다. 밭에 가면 밭 바닥이 공책이었고 잠을 잘 때는 방바닥이 공책이었다.

부모님이 다 돌아가시고 엄마의 세 자매는 먼 친척뻘 되는 사촌오빠네에서 살게 되었다. 말이 살게 된 것이지 식모로 들어간 것이나 다름없었다. 두 동생과 함께 사촌오빠 집에서 더부살이가 시작되었다. 한 명도 아닌 세 명을 떠안게 된 사촌오빠네 식구들은 차츰차츰 세 자매에게 작은 심부름부터 시작해서 밭일까지 돕게 했다. 나중에는 설거지, 마당청소, 집안 청소, 빨래까지 온갖 궂은일을 도맡아 하며 살았다.

그렇게 10년이 흘렀다. 10년의 세월은 엄마에게는 창살 없는 감옥 같은 생활이었다. 깔깔거리며 친구와 재잘거리는 일도 없었고, 엄마에게 투정 부려 본 적도 없었다. 여느 집 아이들처럼 명절이 되어도 예쁜 옷도 한 번 못 입어 보았다. 예쁜 신발 운동화나 구두는 커녕 고무신이 엄마의 신발 전부였다.

얼마나 예쁜 옷을 입고 싶었을까. 얼마나 예쁜 구두를 신고 싶었을까. 할머니가 해준 따뜻한 밥이 얼마나 그리웠을까. 밖에서 뛰어놀고 있을 때 할머니가 "두연아 밥 먹자"라고 다정하게 부르는 행복을 엄마는 얼마나 느껴보고 싶었을까. 그렇게 엄마는 감정이 메말라 갔다. 감성을 지닐 수 없을 만큼 엄마는 정신과 육체가 지쳐가고 있었다.

그러던 어느 날 사촌오빠가 엄마를 불렀다.
"두연아! 이제 20살이 되었으니 좋은 사람 있으니 시집가거라" 사촌오빠가 말했다. 엄마는 한편으로는 두렵고 한편으로는 이 집에서 해방된다는 생각이 들었다. 엄마는 고민하기 시작했다. 엄마의 가슴속에 다른 사랑이 싹트고 있었다. 같은 동네에 사는 해군 총각이었다. 나는 엄마의 사진 몇 개 중에 그 해군 총각의 사진을 본 적이 있다. 해군 복장을 하고 있어서 멋져 보였다. 그 사진을 보면서 "이 남자와 엄마가 결혼했으면 ...." 하는 생각을 했다. 증명사진처럼 작은 사진이었다. 엄마의 외모는 키는 작은 편이었고 얼굴형은 계란형이었고 오똑한 코에 가지런한 치아, 눈은 쌍꺼풀이 없는 전형적인 미인의 눈매를 가지고 있었다. 어느 누가 봐도 엄마에게 호감을 가질 수밖에 없는 얼굴이다. 그런 예쁜 엄마에게서 태어난 나는 엄마를 닮지 않았다. 아버지를 닮았다. 그게 너무 싫었다.

이렇게 고민을 하고 있는 와중에 엄마의 혼인 날짜가 잡혔다.

사촌오빠의 일방적인 결정이었다.

엄마에게는 선택권이 없었다.

결혼 첫날 밤 엄마는 처음 외간남자였던 아버지 얼굴을 보았다. 너무 못생겨서 엄마는 속으로 실망했다고 했다. 내가 아버지를 닮아서 싫었던 이유다.

그래도 살아야만 했다. 엄마의 결혼과 동시에 두 동생도 엄마를 따라서 사촌오빠 집에서 나왔다. 엄마의 어깨에 올려져 있는 짐은 감당해 내기가 너무나도 무거웠다. 좋은 남자라고 했는데 아버지 쪽에도 부모님이 없었다. 강제결혼이었다. 오갈 데 없는 남자와 오갈 데 없는 여자가 가정을 가졌다. 엄마는 해군 총각을 가슴에 품은 채 결혼 생활이 시작되었다. 엄마의 사랑이 저만치 떠나갔다.

신혼살림은 그야말로 처참했다. 밥그릇 4개, 국그릇 4개, 수저 세트 4벌, 냄비 하나, 이불 2채가 전부였다. 사촌오빠가 마련해준 혼수품이었다. 엄마는 몇 날 며칠을 울었다. "왜 나는 이렇게 살아야 하냐고, 내가 무슨 죄를 지었냐고." 동생들도 따라 울었다. 첩첩산중이라고 아버지는 게으른 사람이었다. 결국 두 동생은 제 갈 길을 가겠노라고 집을 나가버렸다. 엄마의 가슴은 천 갈래 만 갈래 찢어졌다. 그 예쁜 얼굴에 삶의 어두운 그림자가 생기기 시작했다. 엄마는 웃음을 잃어갔다. 생계를 위해서 무슨 일이든 해야만 했다.

점점 일하는 기계가 되어갔다.

열 달 후 내가 태어났다. 먹는 것이 부실해서 엄마는 산통이 왔을 때도 힘이 없어서 힘을 쓸 수가 없었다고 했다. 죽을 힘을 다 해 나를 낳았다. 그 힘없고 가련한 여인의 자궁을 뚫고 내가 태어났다. 아기 울음소리가 나자 옆집에서 미역국을 끓여 왔다고 했다. 얼마 만에 남이 해주는 밥상을 받아보았던가. 엄마는 또 울었다. 아이를 낳아서 기뻐야 하는데 나를 안고 왜 그렇게 울어야 했을까.

먹은 게 없어서 젖도 잘 나오지 않았다. 나는 배고프다고 보채고 울었다. 젖을 먹이다가 모자라면 식은 밥을 끓여서 밥물을 나한테 먹였다. 그렇게 가난은 가난 낳았다. 내가 백일이 다가올 무렵 엄마는 집을 나갔다. 사촌오빠에게 갔다. 도저히 못 살겠다고 다시 이 집으로 들어오게 해달라고 했다. 사촌오빠는 자기 목젖에 칼을 들이대고 말했다." 그 사람하고 안 산다고 하면 내가 죽는다. 어떻게 할 거냐" 고 협박을 했다. 나는 엄마의 이야기가 픽션일 거라고 생각했다. 사람에게 있을 수 있는 일이 아니라고 생각했다. 그렇게 엄마는 다시 지옥같은 집으로 돌아올 수 밖에 없었다. 다시 돌아온 엄마는 나에게 젖을 물렸지만 나는 그 날부터 엄마의 젖꼭지를 물지 않았다고 했다. 백일 밖에 되지 않은 아기가 뭘 안다고? 엄마가 그렇게 돌아오지 않았더라면 내 인생은 어떻게 되었을까. 그 후로 엄마는 3명의 남동생을 더 낳게 되었다.
아무짝에도 쓸모없는 남자아이들을.

엄마도 한때 소녀였고,

내가 알지 못하는 꽃다운 시절에 누군가와 사랑도 했을 테고,

꿈도 있었고, 가보고 싶은 곳도 많았을 것입니다.

좋아하고 사랑하던 그 모든 것들 뒤로하고 삶의 지난함과

괴로움을 참고 견디며 고생스럽게 살고 싶어 하는 사람은

엄마뿐 아니라 이 세상에 누구도 없을 것입니다.

<박광수님의 "엄마 죽지마"> 중에서

엄마는 일만 하는 사람이었다.

마치 일을 안 하면 누가 죽인다고 했을 정도로 일에 몰입했다. 게으른 아버지의 가장 몫이 오롯이 엄마의 몫이 되었다. 밤이면 피곤하다 못해 지쳐있는 엄마에게 아버지는 자기의 욕정을 풀려고 엄마를 짓눌렀다. 임신중절 수술도 여러 번 했다. 피임을 할 줄 몰랐던 엄마는 그렇게 엄마의 몸을 혹사시켰다. 아기를 낳고도, 중절 수술을 하고 나서도 몸조리라는 것은 엄마에게 사치였다. 게으른 남편과 4명의 자식들의 입에 밥을 넣어주기 위해서 엄마는 자신의 육체와 정신을 조금씩 갈아 넣고 있었다.

내가 국민학교 3학년 되던 해이다. 마의 10살. 외할머니가 엄마를 세상에 던져놓고 돌아가신 나이이다. 나는 엄마가 세상에 던져진 나이에 엄마의 전철을 밟게 되었다. 비록 엄마처럼 고아는 아니었지만 내 또래 아이들처럼 엄마의 보살핌이 끊어진 시기이다. 부엌으로 들어가기 시작했다. 엄마는 밥을 먹고 나면 밥상을 치우지 않았다. 밥먹고 돌아앉으면 바로 일이 시작되었다. 집에서 하는 일이었기에 직장처럼 쉬는 시간 잠자는 시간이 따로 없었다. 엄마가 하는 일은 노란 서류봉투를 만드는 밀작업이었다. 방바닥에 큰 비닐을 깔아놓고 그 위에 노란 큰 종이를 놓고 풀칠하고 그 위에 한 장을 덧붙여서 수건으로 문질러서 붙이는 작업이었다. 집안일은 서서히 내 몫으로 한가지씩 늘어났다.

나는 엄마를 도와드려야겠다는 생각이 들었다. 엄마의 수족이 되기 시작했다. 엄마는 어린 내가 도와주는 것이 비록 소소한 일이지만 큰 도움이 되었던 모양이었다. 남동생들은 천지도 모르고 때가 되면 배고프다고 아우성이다. 그럴 때마다 엄마가 해 놓은 밥과 반찬을 챙겨서 동생들을 챙기기 시작했다. 엄마는 자식들의 입에 밥만 넣어주면 엄마의 도리를 다했다고 생각한 것일까?

어느 날 내 바로 밑에 동생이 집에 들어오지 않았다. 며칠 후 직장을 잡았다며 걱정하지 말라고 연락이 왔다. 그 후로 몇 년에 한 번씩 얼굴 비추고 가곤 했다. 돈을 벌러 간다더니 돈은 한 푼도 주지 않았다. 오히려 돈을 가져가려고 했다. 그렇게 이방인처럼 왔다 갔다 하다가 하더니 어느 날 여자를 데리고 왔다. 마치 혼자 태어나서 혼자 살아가는 사람처럼 모든 일을 혼자 결정하고 통보하는 것이었다. 여자를 데리고 온 날 며칠을 집에 머물다가 간 뒤로는 영영 소식이 끊어졌다. 엄마는 아들이 소식이 없어도 찾지도 않았다. 걱정도 하지 않는 것처럼 보였다. 엄마는 무슨 생각을 하면서 살았을까? 요즘처럼 휴대폰이 없는 시절이었으므로 어떻게 찾을 방법도 몰랐을 것이다.

지금 생각하니 엄마의 마음은 얼마나 새까맣게 타들어 가고 있었을까 하는 생각이 든다. 오직 돈을 벌어야 한다는 생각 외에는 아무 생각도 하지 않는 사람 같았다. 나는 엄마를 거들면서 이젠 아예 부엌일은 완전히 내 몫이 되었다. 모든 게 서툴러서 엄마에게 물어가면서 부엌일을 했다. 내가 엄마에게 도움이 된다고 생각하니 더 많이 도와드려야겠다고 생각이 들었다.

그러면서 점점 삼식이 아버지가 미워지기 시작했다. 아버지 때문에 엄마와 내가 이 고생을 한다고 생각하니 아버지가 없어졌으면 좋겠다고 생각했다.

몇 년이 또 흘렀다.

이제 둘째 동생도 직장생활을 하겠다고 하면서 밖으로 돌기 시작했다. 동생들은 학교에 다니기 싫어했다. 엄마는 공부가 하고 싶어도 학교에 갈 형편이 안 되어서 교실 밖 공부를 혼자서 했던 열정적인 사람이었다. 그런 엄마의 몸에서 태어난 아들들은 아버지를 닮은 것일까?. 아버지는 한글도 모르는 분이었다.

둘째 동생도 점점 집에 들어오지 않는 일이 잦아들었다. 가끔씩 집에 오기도 했지만 역시 돈은 한 푼도 주지 않았다. 엄마에게 도움이 전혀 되지 않는 아들들이었다. 어느 날은 동생이 잘못한 일이 있어서 회초리로 종아리를 때리고 있을 때였다. 당연히 잘못했으니까 매를 맞고 있었는데 갑자기 엄마의 화살이 나한테로 날아왔다.
"동생이 맞고 있는데 누나가 되어서 말리지도 않고 보기만 하나?"

라고 하면서 되레 나를 꾸짖는 것이다. 나는 억울했다. 한쪽 구석에 가서 억울한 눈물을 흘렸던 기억이 있다. 그때도 엄마가 미웠다. 아들과 딸을 차별한다는 생각이 들어서 더 서운했다. 엄마는 둘째가 안 들어오고 소식이 없어도 찾지도 걱정하는 말도 들어본 적이 없었다. 갑자기 온 집안이 텅 비어있는 것 같았다. 삶에 지쳐서일까?

지금 생각해도 엄마를 이해할 수 없다. 엄마는 술을 못 드신다. 술이라도 한 잔 했으면 술김에 하소연이라도 했을까. 나는 언젠가 동생들이 들어올 거라고 믿으며 기다리고 있었지만 두 동생은 끝내 지금까지 돌아오지 않고 있다. 아니 둘째 동생은 돌아올 수 없는 곳으로 가버렸다. 엄마는 아들이 엄마 먼저 저세상으로 간 것을 모르고 돌아가셨다. 엄마가 아플 때 연락이 왔는데 엄마에게 차마 말할 수가 없었다. 더이상 가슴 찢어지는 고통을 드리고 싶지 않았다. 내가 잘한 건지 잘못 한 건지는 모르겠다.

엄마의 결혼 생활이 10여 년이 지나서 아버지는 지인의 소개로 직장을 가지게 되었다. 아버지의 월급을 받기 시작하고 부터는 엄마의 어깨에 지워진 삶의 무게가 조금은 가벼워졌다. 엄마가 밤늦게까지 일하는 모습을 보지 않게 되어서 나도 마음이 한결 가벼웠다. 나는 고등학교를 졸업하고 건설회사의 경리직으로 취직이 되었다. 사회초년생이라 모르는 것 투성인데 같은 사무실에 근무하는 대리님이 자상하게 일을 가르쳐 주었다.

집도 같은 방향이라서 출근 퇴근이 거의 같이하게 되었다. 3년 정도 친하게 지내다 보니 정이 많이 들었다. 남자 쪽에서는 결혼 말이 오고 갔다. 나는 결혼이란 단어를 들으니 두렵고 겁이 났다. 엄마의 결혼 생활을 보면서 '절대로' 결혼을 안하리라고 다짐을 하곤 했다. 옛말에 여자가 시집을 안 간다는 말은 3대 거짓말 중에 하나라는 말이 있었다. 지금 같은 시대에는 얼마든지 있을 수 있는 말이지만 그때는 그랬다.

3년 동안의 정이 무서웠다. 절대로 안 하려고 다짐했던 결혼에 대한 생각이 무너지기 시작했다. 엄마에게 그 사람을 인사를 시키기로 했다. 그런데, 그 사람을 집에 데리고 왔는데 엄마가 안 계신다. 아무리 기다려도 엄마는 끝내 나타나지 않았다. 몇 시간을 기다리다가 우리는 밖으로 나왔다. 나는 미안하고 창피해서 그 사람의 얼굴을 쳐다볼 수가 없었다. 그 사람은 "괜찮아, 다음에 또 뵈러 오면 되지" 라며 너그럽게 웃어주었다. 엄마의 무관심은 나를 외롭게 만들었다. 사랑을 받지 못한 사람은 사랑을 줄 줄도 모른다고 했다. 저녁에 엄마가 집으로 돌아왔다. 엄마에게 물었다. "엄마! 아까 왜 그랬어?" 엄마는 "그냥 보기 싫었다" 이 한마디로 끝났다.

지금 생각하면 참 답답하다. 엄마는 무슨 생각으로 그렇게 행동했을까? 엄마가 싫어하는구나 하고 그 사람과는 헤어졌다. 나도 나 혼자 판단해 버렸다. 엄마에 대한 반발심과 거역할 수 없는 무언가가 내 마음을 짓눌렀다. 그렇게 아름답던 세상이 하루아침에 진흙탕 같은 세상으로 변해버렸다. 그 사람도 몹시 괴로워하고 힘들어했다. 아니라는 것은 분명한 사실이지만 혹시 계모가 아닐까 생각도 했다.

아버지가 직장생활을 하고 나도 회사생활을 하면서 엄마는 가장으로서의 무거운 짐을 내려놓게 되었다. 결혼하고 20년 만에 엄마에게 자유가 찾아 왔다. 그 자유도 잠깐이었다. 엄마마저도 이젠 직장생활을 하겠다고 한다. 어릴 때부터 그렇게 일만 해 왔는데 그만 쉬시라고 해도 파편 윤씨의 고집은 황소고집보다 세다. 어느 누구도 엄마의 고집을 이길 재간이 없었다.

두 동생이 없어진 우리 집은 그냥 그대로 평온했다. 다만 겉으로 보기에는 그랬다. 엄마의 속마음도 모르겠고 아버지의 속내는 더욱 더 모르겠다.

엄마는 생활의 여유가 찾아왔어도 보통 주부의 전담이었던 식사준비는 거의 하지 않았다. 나는 항상 엄마의 정에 메말랐다. 우리 남매를 위해 따뜻한 밥을 해놓고 기다리는 정을 느끼고 싶었다. 다른 집에서는 저녁이면 온 가족이 모여서 한 밥상에 둘러앉아 밥을 먹으며 도란도란 이야기꽃이 피었다. 우리 집은 서로 다른 사람이 모여 사는 것 같이 각자가 밥을 챙겨 먹었다. 나는 늘 동생을 챙겼다. 엄마는 퇴근하면 이웃집에 볼일 보러 간다고 나가면 돌아올 줄 몰랐다. 우리를 위해서 엄마를 구속할 생각은 없었다. 다만 엄마의 챙김을 받고 싶었다. 친구 집에 가면 친구 엄마가 딸이 온다고 좋아하는 음식을 해놓고 기다리는 모습을 보면서 친구가 참 부러웠다.

한편으로는 엄마가 웃는 날이 많아지는 것이 좋았다. 무표정한 얼굴에서 웃는 얼굴로 변한 엄마의 모습으로 보면서 내심 엄마가 행복하기를 바랬다.

나는 항상 그런 식이었다. 다른 사람이 좋으면 나는 어떻게 되어도 괜찮다는 식의 생각이 남들에게도 그랬다. 내 인생을 살지 못하고 남의 인생 바라기가 되었었다.

나도 엄마처럼 밖에서 놀고 있으면 "혜영아! 밥 먹자 얼른 들어와 그만 놀고"하는 엄마의 부름을 한 번도 받지 못했다. 딸은 엄마의 인생을 닮을 확률이 많다고 했다. 글을 쓰다 보니 나는 어쩔 수 없는 엄마의 딸인가보다. 천륜을 어떻게 거부할 수 있겠는가.

그래도 엄마는 용기 있는 여성이었음을 자랑스럽게 생각한다.

가장 귀한 것

엄마는 살면서 쉽게 얻은 것이 없단다.

남들처럼 타고난 재능도 없었고,

부모로부터 또한 물려받은 것 또한 없어서

아주 작은 것도 더 많은 노력을

해야만 겨우 내 것이 되었다.

동동구리무를 팔던 젊은 시절에는

몇 푼 안 되는 버스비를 아끼려고

추운 겨울밤에 백 리 길을 걸어서 갔고,

남들이 하기 싫어하는 일을 자진해서 해야

그들이 하찮게 여긴 그 무엇을 겨우 얻었단다.

<엄마 죽지마, 박광수, 알에이치코리아>

엄마가 감옥에 갇혔다.

엄마는 사교성도 좋았다. 똑똑하고 정도 많았다. 언니 동생 하면서 점점 지인들이 많아졌다. 우리 집 형편이 조금 나아지면서 엄마의 지갑에 돈이 모이기 시작했다.

우연히 지인이 돈을 좀 빌려달라고 해서 빌려주었는데 이자를 주었다. 이자를 받으려고 빌려준 것이 아닌데 지인이 급할 때 빌려줘서 잘 썼다고 웃돈을 더 준 것이다. 엄마는 사양했지만 감사의 마음이니 받으라고 했다. 그 뒤로도 몇 번이고 돈이 오고 가고 했다. 이런 경우가 한사람이 아니라 점점 수가 늘어나고 있었다.

엄마의 지갑이 순식간에 두툼해졌다. 엄마는 신기해 했다. 너무 쉽게 돈이 불어나니 욕심이 생겼다. 욕심이 화를 부른다고 했다. 엄마에게 돈을 빌려 쓰는 사람들 중에는 장사를 하는 사람도 있었다. 소위 "일수"라는 이름으로 돈을 빌려 갔다. 목돈을 빌려 가고 매일매일 장사를 해서 갚아나가는 형식이었다. 나중에 안 사실이지만 이렇게 자기 돈을 불려 나가는 사람이 제법 있었던 걸로 기억한다. 점점 늘어나는 가게 채무자들로 인해 급기야 나에게까지 수금 요청이 들어왔다. 나는 정말 가기 싫었다. 엄마의 말이라면 한 번도 거역한 적이 없는데 이 일만은 죽어도 하기 싫었다. 엄마의 언성이 높아진다. 나 혼자 여기저기 가야 해서 바쁜데 "그게 뭐가 어렵다고 안 갈라카노."라며 일침을 놓았다. 나는 아무 대꾸도 못 했다. "자기가 다 벌려놓고 나한테 왜 그래?" 속으로 볼멘 대꾸를 한다

졸지에 내가 가게를 돌아다니면서 수금쟁이가 되었다. 파편 윤씨의 고집은 절대로 꺾을 수가 없었다. 엄마에게 반항할 생각은 엄두도 못 냈다. 연신 입은 씰룩거리고 얼굴은 굳어 있고 몸으로 행동으로 반항했다. 엄마를 등지고 째려본다. 일부러 발소리를 퍽퍽 내면서 수금하러 집을 나선다. 그것도 보통 밤 9시에. 이 밤중에 딸을 그런 곳에 보내고 싶었을까. 나가면서 생각한다. '집 말고 어디 갈 데 없을까.' 이대로 어디론가 도망치고 싶었다. 가게 앞에 가서 들어가지 않고 문 앞에 서 있으면 사람들이 그날의 일수를 준다. 그렇게 터덜터덜 걸으며 집으로 간다. 엄마에게 돈을 준다. 나는 돈을 주면서 마음속으로 말한다.' 인정머리도 없는 엄마'라고.

엄마가 빌려주는 액수는 점점 커지고 있었다. 그 이자에 재미를 붙인 엄마는 조금만 더 조금만 더 하면서 멈출 줄을 몰랐다. 나도 덩달아 바빠졌다. 엄마가 선택권 없이 살아왔듯이 나도 나의 선택권이 없었다. 나중에 엄마가 친구분에게 말했다고 한다. 내 딸 혜영이는 입안의 혀 같은 아이라고. 나는 복종이었는데.

결혼해서 집을 나가기 전까지 나는 또 엄마의 대리인이 되었다.

세월이 흘렀다.

엄마의 사업은 다양하게 바빠지기 시작했다. 계중이 시작되었다. 여러 사람이 보통 10명이 모여서 일정 금액을 각출해서 한 사람에게 몰아주는 방법이었다. 순서는 뽑기를 해서 정하는 것이다. 뽑기를 잘하면 제일 1순위로 목돈을 가지고 간다. 물론 다달이 토해내야 하는 돈이라서 부작용이 따랐다.

엄마는 그 위험한 계주가 되었다. 이런 경우 첫 달은 계주가 가져가는 규칙이 있었다. 계주는 계원 한 명이라도 돈을 안 내면 자기 돈을 대신 넣어서라고 다른 계원한테 돈을 주어야 한다. 몇 번의 계중을 하던 중 드디어 일이 터지고 말았다.

먼저 계금을 타서 가져간 사람들이 하나씩 소식이 끊어지기 시작했다. 수소문을 해보지만 소식을 알 길이 없었다. 사람들은 엄마에게 돈을 내놓으라고 닦달했다. 엄마는 사람들에게 받아서 주겠다고 했지만 그들은 기다려 주지 않았다. 사태가 벌어졌다. 파출소에 엄마를 고소했다. 죄명은 '사기죄', ' 횡령죄' 엄마가 감옥에 들어갔다. 엄마가 감옥엘 가다니 나는 도저히 믿기지가 않았다. 그러나 현실이었다. 어른들이 무섭고 두려웠다.

면회를 갔다. 엄마는 두꺼운 창살 안에서 엄마가 초췌한 모습으로 나왔다. 억울하고 후회하는 눈빛이었다. 나는 할 말이 없었다.

그냥 울었다. 울면서 말했다. 엄마! 엄마가 왜 거기 있냐고, 무슨 죄를 졌냐고 빨리 나오라고 했다. 집으로 돌아와서 엄마하고 제일 친한 친구분에게 울면서 부탁했다. 엄마가 나오게 해달라고 애원했다. 그 친구분은 고소하는 데 일조를 하지 않았다. 며칠 뒤 엄마는 풀려났다. 그리고 피해를 본 사람들의 돈을 엄마의 피 같은 돈으로 다 해결해주었다.

엎친 데 겹친 격이라고 했던가. 개인적으로 돈을 빌려 간 사람들도 하나, 둘씩 야간도주를 하기 시작했다. 때는 1997년 후반에 대한민국은 대기업의 연쇄 도산으로 외환위기를 맞이했을 때다. IMF 사태가 터진 것이었다. 한국의 경제가 무너지고 있었다. 자연스럽게 소상공인들에게도 타격이 왔다. 그 여파가 엄마에게 고스란히 넘어왔다. 엄마는 또 한 번 개인금융 위기를 맞게 되었다. 공들여 쌓아온 탑이 와르르 무너졌다. 나는 깨달았다. 쉽게 버는 돈도 없지만 욕심부리지 말자고.

얼굴 예쁜 게 무슨 죄냐?

산 넘어 산이다. 육체적인 고통이 지나가자 이젠 정신적 고통이 시작되었다.

우리 집 바로 위에 엄마의 시고모가 살았다. 친고모가 아닌 걸로 기억된다. 나이 차가 부모격이었다. 그 할머니는 빼빼 마른 체형에 낮은 코에 찢어진 눈매를 가졌다. 인상이 썩 좋아 보이지는 않았다. 엄마가 시장에 갔다가 조금이라도 늦게 오면 아버지의 심기를 건드려 놓는다.

"무슨 장을 이렇게 늦게 봐, 혹시 바람이 난 거 아닌가 잘 살펴봐" 아버지는 가정에 조금도 관심이 없었고 월급 받아오면 그때 돈으로 15만원만 생활비로 내놓고 나머지는 당신이 챙겼다. 한 집안의 가장이 아니라 하숙생 같았다. 아버지는 할머니의 그런 말을 자꾸 들으니 의심을 하기 시작했다. 다정한 대화는 커녕 사람 사는 훈기마저 없이 냉냉하던 우리 집에 큰소리가 나기 시작했다. 엄마는 어이가 없어 할 말을 잃었다. 더이상 이 집에서 못 살겠다고 다짐을 하는 듯한 표정이었다.

나는 윗집 할머니를 매일 째려보고 다녔다. 엄마도 시집 어른이라서 말도 함부로 못 하고 억울해했지만 다른 방도가 없었다. 그러나 그 수위가 점점 높아지자 엄마는 드디어 폭발하기 시작했다. 이판사판인 상황이었다. 엄마도 단호박 같은 여자였다. 긴말이 필요없다. 단 한마디로 결론을 내리는 스타일이었다.

"내가 이 집에서 더 살아 무슨 부귀영화를 누리겠노." "인자는 더이상 못 참겠다." 고 하더니 아버지와 할머니를 앉혀놓고 말했다.

엄마는 비장한 표정으로 두 사람을 번갈아 쳐다보며 한동안 말이 없었다. 숨도 크게 쉬면 안 될 것 같은 살벌한 분위기가 조성되었다. 나는 방문 뒤에 숨어서 그 상황을 보았다. 물론 숨소리도 내지 않으려고 조심했다. 드디어 엄마가 입을 열었다.

"긴말 필요 없고 나는 결백합니더, 내가 이 집에서 더 살까요, 나갈까요?"

"한마디씩만 하이소." 이 말은 들은 아버지와 할머니는 서로 얼굴을 쳐다볼 뿐 말이 없었다. 유구무언이었다. 나는 두 사람이 어떤 대답을 할지 몹시 궁금했다. 한 편으로는 통쾌했다. 엄마가 너무 멋져 보였다.

잠시 후...

아버지는 담배를 한 대 피워 물더니 담배연기를 길게 내뿜으면서 한숨을 쉬었다. 할머니는 이 상황이 너무 황당한지 "음, 음 .. 아이구 다리야," 하면서 몸을 이리저리 뒤척이고 있었다. 그러는 순간 엄마는 "뭣들하는교, 와 갑자기 벙어리가 됐는교, 빨리 결단 내립시더." 라고 재촉했다.

"긴 말은 늘어놓지 말고 답만 말하이소." 엄마의 독촉이 방 안의 공기를 가로질렀다. 잠시 후 할머니가 더듬더듬 말을 하려고 했다. "아니, 그기 아이라 니가 얼굴이 반반하니까 혹시나 해서 한 말이지이." 라고 말해놓고 엄마의 눈치를 살폈다.

엄마는 그동안 살아오면서 받은 설움이 복받쳐 통곡을 하기 시작했다. "아이구, 내가 전생에 무슨 죄가 많아서 이래 살아야 하노 엉?" 하면서 땅바닥을 치며 한없이 울었다. 나도 덩달아 울었다. 엄마의 눈물샘이 나하고 연결되어 있나보다. 엄마가 울면 나도 자동으로 같이 울게 된다. 한참을 울고 있으니 아버지가 입을 열었다. "흠흠... 미안하다. 고모가 하도 그래싸서 나도 모르게 그래됐다, 다시는 의심 안 하께."

사태는 엄마의 승리로 끝났다. 그 일이 있은 후로는 우리 집에도 평화가 찾아왔다. 할머니도 엄마에게 더이상 간섭하지 않았다. 아버지는 여전히 하숙생이었다.

엄마의 삶에 쉼표가 찾아왔다.

나는 엄마에게 말했다. "엄마 이제 여행도 좀 다니고, 친구분들과 맛있는 거도 사드시고, 그렇게 사시라고." 이제 엄마 손길을 필요로 하는 자식이 없으니 엄마만의 인생을 사시라고.

내 엄마는 일에 지쳐서 살림을 놓고 살았지만 반찬 솜씨도 좋았다. 집안 청소도 하면 어느 누구보다 깔끔하게 했다. 바느질도 잘했다. 천상여자였다.

단 한 가지 말투가 단호박이었다. 나는 늘 다른 엄마들처럼 부드러운 눈길과 말씨를 듣는 게 소원이었다. 모전여전이다. 나도 단호박이라는 말을 많이 듣는다. 내 딸들은 나보고 엄마는 교련선생님 같다고 한다. 딸들에게서 그런 말을 듣고 부드럽게 말하는 연습을 많이 했다. 독서를 하면서도 말투도 많이 달라졌다. 단호박 말투는 글쓰기에도 마이너스다. 글 몇 줄을 쓰고 나면 쓸 말이 없다.

엄마의 쉼표가 영원하길 바랬다. 하지만 신은 엄마의 쉼표에 마침표를 찍으려고 했다.

남자 네 명이 꽃가마를 들고 간다. 화려하게 치장된 꽃가마 속에 누가 있을까? 궁금했다. 나는 종종걸음으로 달려가서 꽃가마 안을 들여다 보았다.

'엄마? 엄마가 시집을 간다?'

"이야! 우리 엄마 너무 예쁘다"

양볼에는 연지 곤지로 볼그레하게 물들여 놓았고 입술은 빠알간 앵두같은 입술이다. 머리에는 족두리가 씌워져 있어 꽃가마가 흔들릴 때마다 반짝이며 빛을 발한다. 엄마는 수줍은 듯 고개를 약간 숙이고 있었다. 그런데 왜 말을 타고 있는 멋진 신랑은 왜 안 보이지? 궁금해하면서 다시 꽃가마 속의 엄마의 얼굴을 보았다. 방금 수줍어 하던 엄마의 얼굴이 굳어 있다.

"엄마, 엄마? 엄마 왜 신랑이 없어? 엄마 혼자 어디가?" 하면서 엄마를 붙잡고 마구 흔들어댔다.

"엄마"라고 소리치며 놀라면서 일어났다. 꿈이었다. 악몽이었다.
옛 속담에 시집가는 꿈을 꾸면 그 시집간 사람이 죽는 꿈이라고 했다. 그 꿈을 꾸고 나서 한동안 불안했다. 엄마에게 무슨 일이 일어날 것 같은 불길한 예감 때문에 매일매일이 불안했다. 집에 들어오면 제일 먼저 엄마를 찾는다. 집에 없으면 이웃집에 찾아가서라도 엄마의 얼굴을 확인해야만 안심한다.

무관심한 엄마는 딸의 미세한 표정은 보이지 않았나 보다. 역시 무관심한 엄마. 퇴근해서 돌아온 딸에게 '밥 먹자' 가 아니고 '밥 챙겨 먹어라' 라는 엄마표 한마디면 끝이다. 어쩌면 무관심한 엄마가 아니라 ' 철없는 엄마' 였을지도. 지금 이순간에도 엄마의 다정한 말이 그립다. 그 불길한 꿈 이야기는 끝까지 엄마에게 하지 않았다. 나는 엄마에게 무조건 좋은 이야기만 하기로 늘 생각했다. 아픈 이야기, 슬픈 이야기, 힘든 말, 이런 말로 엄마의 심기를 다치게 하고 싶지 않았다.

내가 태어나서 엄마의 발목이 잡힌 것 같아서 늘 죄스러운 마음이 있었기 때문이다.
악몽이라고 하는 꿈을 꾼 뒤에도 우리 집에는 평화스러웠다. 평화스럽다는 표현이 안 맞지만 별일 없으면 평화스러운 거다.

내가 성인이 되고부터는 엄마의 유년 시절 이야기를 한 번씩 들을 때가 있다. 딸은 자라면 엄마와 친구가 되고 같은 여자가 된다. 딸은 아버지 전생의 애인이었다고 한다. 그래서 보통의 아버지들이 딸바보가 되는 건가. 내가 아버지 전생의 애인이었다는 설은 생각만 해도 끔찍하다. 아니, 기정사실이라고 해도 나는 절대로 거부한다. 엄마는 낮에는 회사 다니고 퇴근 후에는 늘 이웃집에서 수다로 보낸다. 내가 해야 할 일을 엄마가 하고 있다. 집에 와서 저녁을 챙기는 일은 이제 내 몫이 된 지 오래다. 엄마와 딸의 역할이 바뀌었다.
"고장 난 벽시계는 멈추었는데 저 세월은 고장도 없네"라는 유행가 가사처럼 세월은 야속하리만큼 빨리 흘러갔다.

이웃집을 전전하던 엄마는 그림책 공부를 시작했다. 야심한 밤이 되어도 엄마가 오지 않아 찾아 나선다. 불이 환하게 켜진 동네 이웃집으로 가서 엄마를 부른다. 대답이 없어서 문을 열고 들어가 보니 동네 아줌마들 대여섯 명이 동그랗게 둘러앉아서 화투를 치고 있었다. 그 광경을 보자 내 표정이 일그러졌다. 내가 제일 싫어하는 일이었다. 처음으로 엄마 하는 일에 짜증을 냈다." 돈 걸고 하는 거 아니다. 그냥 재미로 하는 거지, 조금만 놀다 올게." 엄마는 어느새 내 허락을 받기 시작한다. 엄마는 전생에 남자였으리라. 아니 남자로 태어났어야 했다. 여자로 태어나서 인생이 엉키고 설킨 실타래처럼 꼬이고 꼬였다. 그 시대 때만 해도 여자로서 남자로서의 할 임무가 있었는데 엄마는 여자이면서 남자의 역할을 해왔었다. 졸지에 하숙생이었던 아버지 대신 내가 여자 역할을 하게 되었고.

나는 엄마에게 잔소리를 하다가 " 그래, 화투 치는 일이 엄마의 유일한 낙이라면 굳이 반대하지 말자."라고 결론내렸다. 아버지는 퇴근하면 바보상자 텔레비전 앞에서 졸다가 잠이 든다. 엄마가 있는지 없는지 관심도 없다. 텔레비전에 밀려난 엄마는 자연스럽게 친구들이 더 좋았으리라.

그때 나는 사내 연애를 하고 있었다. 연애 감정인지 몰랐다. 그냥 나한테 잘해주었고 나도 잘해주는 그 대리님이 좋았다. 나에게 관심을 가져주고 예쁘다고 해주었다. 태어나서 이렇게 관심을 받아보긴 처음이었다. 행복했다. 소풍가는 날을 기다리며 들떠 있는 아이처럼 퇴근하면 출근하는 아침이 기다려졌다.

또 꿈을 꾼다. 내 윗니가 몽땅 빠지는 꿈, 꿈에 어린아이가 나오는 꿈. 윗니가 빠지는 꿈은 부모님에게 안 좋은 일이 생긴다는 징조이고, 어린아이가 보이는 꿈은 근심이 생긴다는 꿈해몽이 있다. 또다시 근심이 스멀스멀 내 마음에 자리 잡는다. 하지만 근심은 잠시뿐이었다. 앞전에 나쁜 꿈을 꾸어도 별일이 없었고, 나 혼자만의 행복한 나날들 보내고 있었으니까. 틀에 박힌 일상은 계속되고 엄마의 화투 치는 일은 오래 계속되지 않았다. 다행이었다. 이 세상 자식들의 염원은 같으리라 생각한다. 내 엄마는 절대로 늙지 않을 거라고. 웃음이 적었던 엄마가 한 번씩 웃을 때마다 함박꽃이 피는 것 같았다. 나쁜 예지몽은 까마득하게 잊어버리고 살았다. 미신을 절대적으로 믿는 건 아니지만 무시하지도 않는 편이다.

엄마의 탯줄을 끊고 세상에 나오게 되면서부터 우리는 인생 수업을 하면서 더 커지고 넓어지며 살아가게 된다. 아이를 낳으면서 엄마라는 자리도 준비 없이, 경험 없이 맞이하게 된다. 자라면서 모든 자식들은 엄마는 척척박사였다. 엄마! 하고 부르면 무엇이든 해결되었으니까.

유난히도 내 엄마의 삶은 슬픔이 길었다고 생각한다. 긴 슬픈 삶 중 기쁨은 반짝반짝 비추다가 지나갔다. 기쁨을 채 느끼지도 못할 만큼 아주 잠깐.

마치 긴 장마철에 잠깐잠깐 비추어주는 햇살처럼. 지금 생각해 보면 엄마는 여자로서 대담했던 분이었다. 미래를 미리 걱정하지도 않으셨다. 요즘, 자기계발서에서 한약방의 감초처럼 등장하는 지금, 현재, 여기에 충실했던 분이었다. 나는 자라면서 "엄마가 공부를 좀 했더라면....." 하는 말을 혼자 자주 되뇌였다. 한 사람으로서의 인생을 생각하면 너무도 아깝고 아까운 여자였다.

엄마가 66세 되던 해였다.

보통의 하루하루를 즐기며 엄마는 소확행의 나날을 보내고 있었다. 그날도 이웃들과 사담을 나누며 여러 명이 둘러앉아 간식을 먹고 있었다. 내일 절에서 방생을 위한 관광이 예약되어 있었다. 엄마는 가지 않고 나만 가기로 되어있었다. 그때까지만 해도 나는 관광이란 걸 한 번도 못 가봤다. 엄마는 여러 차례 다녀왔었다.

다들 들떠서 재미있게 시간을 보내고 있던 와중에 한 사람이 엄마를 가리키며 말했다.
"어? 엄마 입에서 침이 흘러." 모든 사람의 이목이 엄마에게 집중되었다. 엄마의 입꼬리 한쪽에서 약간의 침이 흐르고 있었다.
"구안와사?"
"그거 입이 돌아가는 것 아니가?" 각자 자기들이 알고 있는 대로 한마디씩 했다. 이렇게 되기 1년 전에 엄마는 왼쪽 팔이 갑자기 힘이 빠지면서 축 늘어진 적이 있었다. 일시적인 현상이라고 생각했던 엄마는 팔을 주물렀다. 병원에 가는 걸 심하게 싫어하셨다. 그래서 매일 반신욕을 하고 온몸을 주무르고 휴식을 많이 하다 보니 팔이 정상으로 돌아왔다. 이때 내가 강하게 엄마를 병원에 모셔야 했다.

엄마의 입을 보니 별 이상은 없어 보였다. 저녁 시간이 다 되어가고 있어서 모두들 집으로 돌아갔다. 나도 엄마와 함께 집으로 돌아와서 저녁을 먹고 일찍 잠자리에 들었다. 다음 날 새벽 나는 방생을 가기 위해 관광차에 올랐다. 어제 저녁에 엄마의 상태 때문에 별로 가고 싶지 않았는데 주위 사람들이 자꾸 보챘다.
"오늘 저녁에 올 텐데 그동안 무슨 일이 있겠나 그냥 갔다 오자."

하면서 나를 관광차 속으로 밀어 넣었다. 이렇듯 나는 다른 사람의 말에 좌지우지 바보처럼 살아왔다.

관광차는 출발하고 사람들은 모두 들떠 있었다. 나도 잠시나마 엄마를 잊고 그들과 어울렸다. 목적지에 도착해서 물고기와 거북이를 방생하고 점심을 먹고 가을낙엽의 매력에 심취해있었다. 해가 질 무렵 출발해서 집으로 돌아오는 도중에 엄마에게서 전화가 왔다. 순간 불길한 예감이 엄습했다.

″혜영아! 내 몸이 이상하다. 어디고, 빨리 좀 올 수 없나....″

″엄마! 몸이 어떤데? 어떻게 이상한데? 많이 아파?″

″그냥 힘이 없다.″

순간 나는 아무 말도 할 수가 없고, 차 안에 있는 사람들이 아무도 보이지 않았다.

집에 도착하려면 2시간이나 남았다. 아무것도 할 수 없는 상태로 묶여 있었다. 그 순간부터 차 안에는 관광차 특유의 음악이 꺼지고 정막이 흘렀다. 엄마의 전화 한 통으로 모든 사람이 죄인이 된 것 같이 속죄하는 표정들이었다. 나는 양쪽으로 죄를 지은 죄인이 되었다. 엄마는 혼자서 아픔과 사투를 벌이고 있고, 차 안에 있는 사람들의 신명을 잠재웠다. 그 2시간이 차 안에 있던 모든 사람들의 2시간까지 보태어져서 무겁게 나를 짓눌렀다.

밤 10시가 되어서야 집에 도착했다. 황급히 집으로 들어가 엄마를 보았다. 엄마와 나는 안도의 한숨을 쉬었다. 엄마의 손을 잡았다. 내 손을 잡는 엄마의 손에 힘이 들어가지 않았다. 한쪽 입꼬리가 살짝 올라가 있다. 엄마를 모시고 병원을 찾았다. 구안와사에는 침을 맞으면 좋다고 해서 한방병원 응급실로 갔다. 응급절차를 끝내고 병실로 옮겨졌다. 다음 날 아침 담당 의사가 와서 세밀하게 검사하자고 했다. 사진 찍고, 혈액검사, 등등 몇 가지 검사를 했다.

오후에 검사결과가 나왔다. 병명은 '뇌경색'으로 나왔다. 의사가 물었다. "언제부터 증상이 있었습니까."

"네, 작년에 왼쪽 팔에 힘이 없어진 적이 있었어요, 그리고 어제 저녁에 한쪽 입꼬리에서 침이 흘렀고요." 내가 말했다.
"골든타임을 놓쳤네요, 작년에 그 때 병원에 왔었어야 했는데..." 라고 안타까운 표정으로 의사가 말했다. 뇌졸증(뇌경색, 뇌출혈) 증세가 나타나면 골든타임 3시간 안에 병원을 찾아야 한다고 했다. 그렇게 하면 신체에 오는 장애를 막을 수 있다고 했다. 나와 엄마는 의사의 말에 충격을 받았다. 의사 선생님도 잠시 생각에 잠겼다.
"너무 절망하시진 마세요. 저희가 최선을 다 해보겠습니다."라고 의사가 말했다.
나는 지푸라기라도 잡는 심정으로 말했다. "선생님 잘 부탁드립니다." 어떤 말도 떠오르지 않았다. 내가 할 수 있는 일이 아무것도 없었다.

엄마를 빨리 병원에 모시지 못한 나는 죄책감에 시달리기 시작했다. '만약 신체에 장애가 생기면 어떡하지?' 내 작은 주먹으로 애궂은 가슴팍을 마구 쳐대었다.
"그래, 치료 잘하면 괜찮을 거야! 엄마는 원래 강한 분이시니까"
나는 나에게 괜찮을 거라는 확신을 심고 있었다.
그렇게 병원 생활이 시작되었다. 한방병원에서 차도가 없어서 대학병원으로 갔다. 지금은 의술도 많이 발전하여 막힌 뇌혈관을 뚫을 수 있다고 하는데 그때는 그렇게 할 수가 없었다. 외할머니의 중풍이 엄마에게도 덮쳤다. 이 병도 유전성이 있는 걸까?
그래서 나는 건강검진을 하면 반드시 뇌혈관검사를 한다. 집안의 내력이라면 혹시나 '나에게도' 하는 불안이 늘 있기 때문이다. 다행이도 60대 허리를 꺾어가는 지금까지도 건강하다. 늘 감사하게 생각하며 살고 있다. 엄마가 발병했을 때의 나이를 내가 가고 있다.

더이상 병원에서 해줄 수 있는 게 없다고 하여 퇴원했다. 이제 남은 일은 엄마와 내가 장애를 극복할 수밖에 없었다. 엄마의 왼팔에 장애가 오기 시작했다. 지인이 나에게 말한다. 편마비로 지팡이 없이는 걸음을 걸을 수 없던 머리카락이 백발이었던 할아버지가 매일 반신욕으로 땀을 흘리고 하루도 빠지지 않고 제대로 걸어지지 않는 걸음을 걸었다고 했다. 다리를 매일 주물렀다. 얼마나 걸렸는지는 모르겠지만 할아버지는 검은 머리가 다시 나기 시작했고, 지팡이 없이 걸을 수 있게 되었다고 했다. 나는 그 말을 듣고 엄마가 더 심해지기 전에 반신욕을 시작했다. 냉체질이었던 엄마가 뜨거운 욕조에서 땀을 흘리면 노폐물도 빠지고 혈관도 확장되어서 뇌혈관에 효과가 있을 것만 같았다. 엄마와 나의 신경전은 이때부터 시작되었다.

며칠 하더니 안 하겠다는 것이었다. 건강한 사람도 며칠 동안 아무것도 안 하고 누워 있으면 다리에 힘이 빠지기 마련이다.
'뇌졸중'이라는 병이 오면 '게으름병'도 같이 온다고 했다. 엄마는 이때부터 아무것도 안 하려고 했다. 정말 손가락 하나 움직이기 싫어하셨다. 두 다리가 멀쩡하고 왼쪽팔만 조금 불편한데도 엄마는 모든 삶을 놓아버렸다. 그렇게 부지런하고 악착같았던 사람은 어디 갔을까? 그때만 해도 나는 내가 엄마의 입장이 되어 생각해 보지 않았다. 오직 엄마의 몸이 더이상 굳어지는 것을 막아야 한다는 생각뿐이었다. 누구도 대신해 줄 수 없는 오롯이 엄마의 몫이었다. 워낙에 부지런하셨으니 틀림없이 엄마는 이겨낼 것이라고 생각했다. 나는 엄마만 돌보고 있을 상황이 아니었다. 직장에도 나가야 했다. 이사라도 하고 나면 며칠을 몸살을 앓는 약한 체질인 나는 아버지를 닮았다.

나약한 몸으로 엄마 간병, 직장생활, 집안 살림, 이 모두가 내 몫이 되었다. 거기다가 엄마의 분노, 원망, 짜증, 투정까지 감당해야 했다. 어떡하든 엄마를 움직이게 하려고 방법을 고민했다. 평소에 강아지를 좋아하셨다. 마침 지인이 강아지가 새끼를 낳았다고 했다. 2달쯤 되었을 때 털이 하얗고 복슬복슬한 강아지를 데리고 왔다. 말티즈 종이었는데 눈이 새까맣고 예뻤다. 내가 집에 없을 때 엄마가 적적하지 않고 몸도 움직일 거라 생각했다.

내 예감은 빗나갔다. 길거리에 있는 개도 데리고 와서 키웠던 엄마가 강아지를 보더니 "강아지는 왜 데꼬 왔노?" 하며 퉁명스럽게 말한다.

"아니, 엄마 혼자 집에 있을 때 심심할까봐, 예쁘잖아" 엄마 눈치를 보면서 대답했다. 엄마는 강아지를 안아보지도 않고 방으로 들어가셨다.

나는 혼자말로 했다. '나 없으면 강아지를 예뻐하며 잘 돌봐주겠지 '강아지에게 사랑을 주고 돌보던 노인이 건강이 좋아졌다는 말도 들은 터라 엄마도 그러기를 내심 간절히 바랬다. 강아지는 며칠이 지나도 엄마의 사랑을 받지 못했다. 오히려 미움의 대상이 되었다. 강아지는 엄마에게 반항이라도 하듯 여기저기에 배변과 오줌을 싸기 시작했다. 내가 집에 오는 발걸음이 들리면 달려와서 나에게 안긴다. 그리고는 엄마를 보고 몇 번 짖어댄다. 마치 엄마를 혼내주라고 일러바치듯이. 강아지를 어루만져주고 있으면 엄마의 눈빛이 싸늘하다.

"내를 그렇게 예뻐해 봐라" 라고 한 마디 쏘아 붙친다. 엄마의 말이 예리한 칼날이 되어 내 가슴에 날아와 꽂힌다. 아프고 힘들다. 외할머니도 힘들었을 텐데 엄마에게 이렇게 하셨을까? 나도 점점 신경이 날카로워진다.

왼쪽 다리에도 점점 힘이 빠지기 시작한다. 엄마는 밥 먹고 텔레비전 보고 누워있는 일이 하루일과였다. 내가 퇴근하고 집안일을 하고 있으면 엄마의 눈길은 나에게 집중되어 있다. 무슨 꼬투리라도 잡아서 잔소리를 하려는 심술궂은 표정이다. 마치 '니때문에 내가 아파'라는 원망이 서려 있는 눈길이다. 엄마는 아프면서 심술보가 생겼다. 엄마의 뒷바라지보다 신경전을 벌이는 게 더 힘들었다. 전생에 내가 엄마의 엄마였을까?

또 후회한다. 엄마가 처음 신호가 왔을 때 빨리 병원으로 모시지 못함을. 하지만 이제 되돌릴 수 없는 일. 엄마도 그 일 때문에 나를 원망하는 걸까?

출근하면서 엄마에게 조심스레 부탁한다.
"엄마, 나중에 심심하면 빨래 좀 개어줘" 엄마는 대답이 없다. 어떻하든 몸을 움직이게 하고 싶어서 엄마가 싫어하는 줄 알면서도 말을 건네 보지만 역시나 통하지 않는다. 요지부동이다. 평소에 친하게 지내던 엄마 친구들은 한두 번 들여다보고 발길이 뜸해지더니 완전히 끊어졌다. 긴병에 효자 없다더니 긴병에 친구도 없구나. 엄마는 점점 소외되고 있다. 친구들의 빈자리들이 오롯이 나에게로 집중되었다. 어느덧 엄마의 입안에는 내 이름이 녹음되었다.
혜영아! 밥 줘, 혜영아! 물 줘, 혜영아! 뭐 먹을 거 없나, 어디 가노, 뭐 사왔노? 혜영아! 혜영아! 혜영아!.......... 내가 집에 있는 시간에는 엄마의 입안에 있는 녹음기는 멈출 줄 몰랐다. 삶을 송두리째

놓아버리고 나에게만 집중되어 있는 엄마가 나는 버거웠다. 세상의 모든 짐들이 내 어깨에 다 올려져 있는 것만 같았다.

신체의 장애를 더이상 심해지지 않게 막으려고 했던 나의 노력은 물거품이 되었다. 움직이지 않고 누워만 있으니 몸은 점점 무거워졌다. 엄마 자신이 노력해야 하는데 모든 걸 포기하고 있는 모습에 나는 짜증이 나기 시작했다. 마치 딸을 혼내듯 엄마를 혼내는 말투가 자도 모르게 한 번씩 튀어나온다.

"엄마, 좀 움직여봐, 왜 그렇게 누워만 있어?"

"그렇게 씩씩하던 내 엄마 어디 갔어.?"

"건강한 사람도 자꾸 누워만 있으면 온몸에 힘이 다 빠져."

"힘들겠지만 힘 좀 내서 움직이자 엄마!"

이렇게 폭풍 잔소리를 하면 순한 양처럼 천천히 일어나서 아주 짧은 순간 움직여 보려고 애를 쓴다. 그러나 10분을 못 넘기고 다시 침대에 걸터앉는다.

엄마에게나 나에게나 더이상 힘듦이 넘치지 않았으면 하는 바램이다. 지금 여기에서만이라도 더 심해지지 않기를 간절히 마음을 담아 기도해본다. 이 기도가 엄마에게 닿아서 엄마손에 지팡이를 쥐어주는 일이 없기를 ......

"엄마, 제발 힘을 좀 내주세요"

내가 가진 희망이
당신의 희망이기도 했다는
사실을 깨달았다.

그 후로는 이전처럼 쉽게
나의 희망을 꺼뜨리지 않는다.

어떤 고난에도, 어떤 어려움에도
나의 희망을 믿는다.

희망이 희망으로 끝나지 않도록
나의 희망이 나에게 기쁨이 되고
나를 위해 고생한 당신의 입가에도
미소가 되도록 나의 희망을 지켜낸다.

<모든 날에 모든 순간에 위로를 보낸다, 글배우, 강한별>

겨울 날씨가 지구 온난화로 20도를 치솟더니 이번 주말에는 제대로 겨울날씨를 체감하게 만드는 영하의 날씨가 계속되고 있다.

'그래 겨울이면 이 정도는 추워줘야지'

추위가 스며들지 못하게 외투와 털모자 부츠를 신고 걷는다. 매서운 겨울바람이 귀때기와 얼굴에 따끔따끔하게 침을 놓는다. 뭔가 풀리지 않는 답답함에 길을 나섰다. 칼날같은 겨울바람에 온몸의 세포가 몸 구석구석으로 숨어드는 것 같다. 머릿속이 시원해진다. 느슨하고 힘이 없던 몸과 마음이 돌덩이처럼 단단해지면서 선명해진다.

엄마의 불편한 손을 만지는 느낌이다. 혈액이 잘 통하지 않아 편마비가 된 손은 산 사람의 손이 아니다. 하루에 몇 번이고 손과 다리를 주물러 드린다. 엄마에게 시킨다. 오른손으로 왼손을 주물러라고. 지팡이가 필요한 시기가 그리 멀지 않았다. 나의 희망과 바람은 점점 멀어져만 가고 있다.

내가 집에 없는 동안 하루 4시간은 요양보호사의 도움을 받기로 했다. 점심을 챙겨드릴 수 있는 시간에 맞추었다. 걸음이 자꾸 불편해진 엄마는 팬티를 적시는 일이 잦아들었다. 침대 매트리스에도 비닐로 한 번 감싸야 했다. 내가 해야 할 일은 빚더미의 이자처럼 늘어 난다. 평소에 몸을 돌보지 않았던 엄마는 치아도 점점 망가져서 틀니를 끼게 되었다. 잇몸이 자꾸 내려앉으니 맞춘 틀니도 자꾸 헐렁해지고 맞지 않았다. 엄마는 내가 볼 때는 틀니를 끼고 내가 보지 않을 때는 끼지 않았다. 틀니를 끼고 음식을 드시면 따그락따그락 소리가 나서 많이 불편해 보였다. 몇 번의 수선을 해보았지만 잇몸이 약해져 더이상 틀니를 낄 수가 없었다. 어느 날 엄마는 나 몰래 틀니를 버려버렸다. 불편해도 자꾸 끼고 먹는 습관을 들이자는 내 잔소리에 급기야 틀니를 버렸다. 이젠 엄마의 식사는 죽을 끓여야 했다. 치아가 없으니 음식을 씹을 수도 자를 수도 없다.

죽 가게 이상으로 죽을 그렇게 많이 쑤어 본 사람이 없다고 생각한다. 죽의 종류도 다양했다. 자꾸 끓이다 보니 영양죽을 생각하게 되었다. 매일 죽의 재료는 달랐다. 죽 하나로 엄마는 하루의 식사가 전부였다. 흔히들 먹는 전복죽, 소고기죽, 야채축, 팥죽, 호박죽은 물론이고, 고등어죽, 게살죽, 두부죽, 고구마 감자죽, 당근죽, 등등......수없이 많았다. 재료를 갈 수만 있다면 모든 재료를 갈아서 죽을 쑤었다. 끈기도 있으라고 되직한 밥 비슷한 죽으로 쑤었다. 손질하기 제일 힘들었던 재료는 늙은 호박을 쪼개는 일과 게를 쪄서 게다리 하나하나에 들어있는 게살을 파내는 일이었다. 죽 하나로 하루 식사를 대신하는 엄마의 모습을 보니 가슴이 아팠다. 아무리 영양죽이라도 어찌 잡곡밥과 다양한 반찬에 비할까...

그러던 어느 날 나는 동네 사람들에게 이상한 소리를 듣는다.
엄마가 이상한 행동과 말을 했다고 했다.
"느그 엄마 오늘 낮에 돼지고기도 씹어먹고 평소에 먹는 건 다 먹었어, 그리고 우리 혜영이한테는 내가 먹었다고 말하지 마래이."

나는 놀라지 않을 수 없었다. 심지어 지팡이를 짚고 바깥에도 나왔다는 것이다. 집에서 엄마가 나한테 보이는 행동은 화장실도 겨우 가는 정도인데, 엄마가 외출을 했단다. 나는 못 들은 척했다. 순간 서운한 마음에 가슴이 먹먹했다. '왜 나에게 엄살을 부리는 걸까? 왜 나를 이렇게 힘들게 하는 걸까? 나한테 하는 행동이 엄마 자신에게 얼마나 치명적인 일인지 왜 모를까? 그 후로도 몇 번이나 이런 똑같은 말을 들었다.

"오늘도 느그 엄마 뭐 먹었다. 잘 먹던데?"

"치아가 없는 사람 같지 않게 잘 먹어"

"니 엄마는 니한테 엄살 부린다아이가" "어휴! 딸 하나 있는 거 불쌍하지도 않나 몰라! 저 고생을 하고 있는데 무슨 엄살이고 엄살은"

요양보호사도 말한다. 어머님이 "우리 딸은 집에 오면 아무것도 안 한다" 고 말씀하셨다고. 믿기지 않는 엄마의 말에 요양보호사님도 의아한 표정으로 나에게 말을 건넨다. 죽을 힘을 다해서 정성과 노력을 하고 있었던 나는 눈물이 왈칵 쏟아졌다. 평생 고생만 하다가 이제 조금 편하게 사시길 바랬는데 몸이 저렇게 되었으니 나는 엄마가 한없이 불쌍했다. 그래서 최대한 엄마에게 맞추려고 했다. 내 방에 들어가서 소리 죽여 한참을 울었다. 어디 누구에게도 말 못 하는 내 심정을 눈물에 실어서 내보냈다. 거의 울음을 그칠 무렵 엄마가 내 방문을 살며시 연다.

"배고프다"

하면서 평소답지 않은 나를 쳐다보며 엄마는 내 눈치를 살피다가 방문을 살며시 닫는다.

이 글을 쓰면서 흐르는 이 눈물은 회한의 눈물인가!

엄마에게 표시 내지 않으려고 "음음" 목소리와 얼굴 표정을 가다듬었다. 죽을 데워서 엄마에게 가져갔다. 엄마는 내 눈치를 살폈다. 순간 하지 말아야 할 말을 해버렸다. "내가 집에 오면 아무것도 안 한다면서 왜 나한테 죽 달라노" 이 죽은 누가 끓였는데, 어디 우렁각시라도 있나 보지?" 순간 엄마는 놀란 토끼눈으로 나를 쳐다봤다. 그러면서 모기 만한 소리로 말한다.
"내가 언제 그랬노! 나 그런말 안 했다! 누가 그라드노."
나는 엄마를 쳐다보았다. 그러는 도중에 또 서러운 눈물이 하염없이 흘렀다. 그날은 눈물보가 제대로 터졌다. 나는 내 방으로 도로 돌아왔다. 엄마가 왜 사람들에게 그렇게 말하고 행동했는지 아무리 생각해도 이해가 되지 않았다. 한바탕 울고 나니 머리가 아팠다. 엄마방으로 가보았다. 그 와중에도 엄마는 죽 한 그릇을 다 비웠다. 얄미우면서도 고마웠다. 죽을 안 드시면 어쩌나 했는데 빈 죽 그릇을 보니 안심이 되었다.

그 일이 있은 뒤로 엄마의 말투가 달라졌다. 부드러운 말투로 바꼈다. 그 모습을 보니 또 안쓰럽고 괜시리 내가 미안했다. 지팡이 짚고 다니는 것이 불편하고 위험해 보여서 바우처의 도움으로 휠체어를 들이게 되었다. 집안에서는 지팡이로 걸어 다니시고 밖에 나갈 때는 내가 휠체어에 태워서 바깥나들이를 했다. 평지를 다닐 때는 괜찮은데 오르막길을 올라갈 때는 밀어 올리기가 정말 힘들었다. 엄마는 불편한 몸으로 지팡이를 짚고 다니는 자신의 모습을 다른 사람들에게 보이는 것이 자존심이 상하셨을 것이다. 내가 당해보지 않았으니 나는 그때 엄마의 심정을 몰랐다. 왜 자꾸 휠체어만 타려고 하는지 그 마음을 헤아리지 못했다. 걸을 수 있을 때 자꾸 걸으라고만 했다. 그런 내가 얼마나 야속했을까?

투병생활을 한 지 10년쯤 지나자 엄마는 다리 힘이 없어서 화장실에서 자꾸 넘어졌다. 몇 번을 그러고 나더니 이젠 아예 화장실도 못 가게 되었다. 이젠 꼼짝없이 누워서 지내게 되었다. 나는 퇴근하고 집에 오면 새로운 일과가 기다린다. 맨 먼저 엄마의 기저귀 상태를 보고 침대가 젖었는지 살펴보고 정리한다. 그리고 엄마와 내가 같이 밥을 먹는다. 그다음은 내일 드실 죽을 끓인다. 이것저것 집안일을 하고 나면 보통 밤 12시가 된다. 몸이 파김치가 되어 잠자리에 든다. 잠깐 잔 것 같은데 아침이다. 젖은 솜처럼 무거운 몸을 일으킨다. 엄마 얼굴을 닦고 아침을 챙겨드리고 출근한다.

엄마의 독박간호가 길어지자 강하지 못한 내 몸이 고장이 나기 시작한다. 방광염이 찾아왔다. 밤에 자다가 응급실을 찾는 일이 잦아졌다. 방광염을 앓아보지 않은 사람은 그 고통을 모른다. 앉을 수도 누울 수도 없다. 6개월 정도를 앓고 나니 이젠 약의 내성이 생겨서 진통제도 듣지 않았다. 엄마는 전혀 이 사실을 모른다. 옆구리가 팽창하여 곧 터질 것 같은 고통이 온다. 좀 있으면 멈추려니 하고 이를 악물며 고통을 참고 있었다. 하지만 더이상 참을 수가 없어서 결국 119 구급차를 부른 적도 있었다. '요로결석' 얼굴은 하얗게 질려 있었다. 더이상 내가 엄마를 케어할 수가 없었다. 병원에 누워 있으면서 오만가지 생각이 들었다.
'이제 엄마를 어떡하지? ' , '차라리 엄마와 내가 같이 죽어버릴까?' , ' 죽으면 또 어떻게 죽지?' 비관적인 생각밖에 들지 않았다. 나와 비슷한 처지에 놓여 있던 사람이 결국 죽음을 선택했던 뉴스가 생각났다.

병원에서 집에 오니 엄마가 많이 놀래서 걱정을 하고 있었다. "괜찮나" 엄마가 미안하고 안쓰러운 표정으로 나를 쳐다보며 묻는다.
"응, 괜찮다 엄마, 엄마 죽은 먹었어?"
"응 먹었다. 요양보호사가 주고 갔다." 엄마의 목소리가 미세하게 떨렸다.
엄마가 내 손을 살며시 잡았다. " 니가 내 때문에 고생이 많다." , "괜찮다 무슨, 내가 원래 시원찮아서 그렇치."
엄마와 나는 부둥켜 안았다. 서로의 어깨너머에서 눈물을 삼켰다.

요양센터장과 의논했다. 엄마를 요양병원에 모셔야 했다. 독박간호를 하기에는 무리수가 너무 많았다. 엄마에게 자세히 설명을 하고 이해를 구했다. 엄마는 별로 내키지 않는지 대답이 없다. "요양병원에 가면 빨리 죽는다던데...." 엄마가 말했다. 그때만 해도 요양병원 하면 부모를 버린다는 인식이 있었다. 센터장에게 괜찮은 요양병원을 알아봐달라고 했다. 며칠 후 센터장에게 연락이 왔다. 몇몇 교회에서 운영하는 요양병원이 있다는 것이다.

사실 나도 엄마를 거기에 보낸다는 것이 좋지만은 않았다. 하지만 혼자 엄마를 감당하기에는 내 체력이 따라주지 않았다. 엄마 목욕을 시키고 나면 거의 기진맥진이다. 그렇다고 내가 직장을 그만둘 수도 없는 형편이었다. 엄마와 나는 구급차에 몸을 실었다. 어쩔 수 없는 현실에 떠밀려 결국 엄마를 요양병원에 모셨다. 마음이 아팠다. 가슴에 돌덩이 하나를 올려놓는 것 같았다. 입원수속이 끝나고 엄마곁에서 밤까지 있었다. 엄마는 대화할 수 있는 어르신들이 계신 병실로 왔다. 엄마는 말하는 걸 무척 좋아하셨다.
밤이 되어 엄마하고 헤어져야 했다. 차마 발길이 떨어지지 않았다. 하지만 나는 가야 한다. 엄마에게 자주 오겠다고 말하고 손을 흔들었다. 엄마도 서운한 눈길로 손을 흔든다. 그 순간 엄마는 버림받았다는 생각을 했다고 했다. '인자 나를 버리고 가는 구나!'라고.

집에 도착해서 엄마 침대에 걸터 앉았다. "엄마, 미안해...." " 이 길만이 우리 둘이 살길이야, 엄마를 버린 게 아니라 엄마는 내 가슴에 담고 왔어..." 병실에 있는 엄마를 상상하니 미칠 것 같았다. 다음 날 엄마가 있는 곳으로 바로 퇴근했다. "엄마" 하고 병실로 들어가니 " 피곤한데 집에 가서 쉬지 왜 이 밤에 왔노" 하신다.
"우리 엄마 밤에 잘 잤나 보러 왔지이"
"옆에 사람들이 많아서 좋다." 라고 하신다.
그때 간호사가 들어온다. "어르신 말씀을 너무 잘하세요 ㅎㅎ" 간호사가 말한다. 엄마의 표정이 웃는다. 엄마는 원래 어지간해서는 소리내어서 웃지 않는다.

표정으로 웃는 경우가 많다. 다행스럽게 엄마의 표정이 집에서보다 밝아보여서 한시름 놓았다. 매일 혼자 집에 있다가 여러 사람들이 있으니 오히려 엄마에게는 다행이었다. 그리고 옆에 사람들이 다양하게 간식을 먹는 걸 보며 입맛이 돌아 간식을 사오라고 한다. 나는 즐겁게 간식을 사다 날랐다. 병원에서 미처 손이 가지 않는 부분을 주무르고 등 마사지를 한다. 엄마는 등 마사지를 제일 좋아하고 시원해했다.

4년이 뒤...

사람들을 공포에 떨게 했고 전 세계를 마비시켰던 코로나가 덮쳤다. 면회를 자주 할 수 없게 되었다. 내가 자주 오지 않자 엄마는 간호사들에게 계속 재촉했다. 뉴스를 보여주고 상황설명에도 엄마는 계속 간호사들을 귀찮게 했다. 다른 사람들은 안 그르는데 엄마만 유독 딸이 오게 해달라고 졸라댔다. 늦은 밤에만 면회를 갔다. 다른 보호자가 혹시 보면 일이 커지기 때문이다. 건강할 때도 엄마는 자기가 하고 싶은 게 있으면 끝까지 하고야 마는 고집쟁이었다. 그 고집에 두 손 두 발 다 들게 만든다.

코로나로 인해 면역이 약하신 환자들이 죽어 나가기 시작했다. 드디어 면회가 봉쇄되었다. 1년이 넘도록 엄마를 보지 못했다. 전화로 매일 체크하지만 늘 조바심이 났다. 혹시라도 엄마가 코로나에 걸리면 어떡하지? 엄마가 이 세상에 없다는 건 생각만 해도 태산이 무너진다. 비록 저렇게 누워있지만 오래오래 살아서 내가 마음 기댈 곳이 영원하기를 바랬다. 1년을 넘게 딸의 얼굴을 보지 못한 엄마는 코로나는 피해 갔지만 버림받았다는 상실감이 컸으리라.

그러던 어느 날 초저녁 병원에서 전화가 왔다.
"윤두연 어르신께서 위급하십니다. 뇌에서 산소가 급격히 떨어지고 있어요. 빨리 오셔야 되겠어요." 라는 간호사의 다급한 목소리였다. 택시를 타고 병원으로 달려갔다. 엄마는 중환자실에 누워있었다. 침대 옆에는 대형 산소통이 있고 기계에서는 엄마뇌로 산소를 빠르게 주입하고 있었다. 산소량이 들어가는 양만큼 이상의 산소가 떨어지고 있었다. 산소압을 올린다. 엄마는 계속 춥다고 했다. 의식은 있었다. 엄마의 이마에는 이미 푸른색으로 죽음의 그림자가 드리워져 있었다.

″엄마! 엄마!!!″ 엄마를 흔들며 불렀다. 엄마가 눈을 떴다. ″ 엄마! 내가 누구야? 나 알아보겠어?″
″엄마는 무겁게 눈을 뜨고 나를 쳐다본다. ″왔나! 춥다″ 엄마는 계속 춥다고 했다. 엄마가 춥다고 하는데 병원에서는 계속 이불을 덮지 말라고 한다. 뇌에 산소공급이 안 되면 몸이 춥다고 하는 걸 몇 번 봤었다. 예감이 좋지 않았다. 휴대폰으로 연락할 수 있는 모든 사람들에게 영상통화를 했다. 엄마는 지인들을 다 알아보고 말을 했다. 영상통화를 하면서 모두가 울음바다가 되었다. 간호사들도 같이 울었다. 엄마가 이렇게 말을 하고 정신이 맑으니 금방 돌아가실거라곤 상상도 못했다. 그래도 강했던 엄마는 그 상태로도 삶의 끈을 놓지 않을 거라 생각했다.

엄마가 잠이 들자 긴호사가 밤에 집에 갔다가 아침에 오라고 했다. 집으로 돌아와서도 잠이 오지 않았다. 잠깐 잠이 들었다. 아침 7시 휴대폰이 울린다. ″어머니 어르신이 어르신이, 빨리 오세요 어르신이 곧 돌 가실 것 같아요....″ 택시를 타고 가는 도중에 또 전화가 왔다. ″어머니 ,이런 말씀 드려서 죄송합니다.... 어르신이 방금 운명하셨습니다......″
″아.......... 네...........″
태산이 무너져 내렸다. 내 엄마가 운명 했다구? 나는 믿어지지가 않았다. 병원에 도착해서 엄마를 봤다. 엄마의 몸이 따뜻했다. 간호사에게 물었다.

″우리 엄마 지금 주무시는 거죠? 어제 저녁에 말을 했는데 밤사이

에 어떻게 죽을 수 있어요?" 아니죠? 아니죠? 아무리 흔들어도 엄마는 눈을 뜨지 않았다.

83년의 모진 세월 앞에 엄마가 무너졌다. 내 마음의 등대가 꺼졌다. "엄마! 엄마! 그 무섭고 어두운 길 혼자 가게 해서 죄송합니다. 엄마...........
엄마는 생신 다음날 돌아가셨다. 나와 다른 세상에서 살게 된지 3년이 되어간다. 엄마를 잃은 슬픔은 세월이 흐를수록 더욱더 짙어진다. 엄마에 대한 글을 쓰면서 내가 엄마 때문에 고생했다는 생각조차도 죄스럽다. 엄마이기 이전에 같은 여자였다. 여러모로 내가 엄마를 닮은 부분이 많다. 세월이 갈수록 더욱더 닮아간다.

엄마! 다음 생이 있다면 아프지 않은 부모 만나서, 엄마가 사랑하는 사람하고 결혼도 하고, 엄마도 아프지 말고, 엄마를 떠나는 아들 낳지 말고 영원히 함께하는 자식 낳고 효도 받으며 사세요. 아니, 내가 엄마의 엄마로 태어나서 세상에서 가장 행복한 여자로 살게 해줄께요.

엄마! 보고 싶고 많이 많이 사랑해!!!!

바보의 후회

사랑하는 이와 헤어지고 나서
'그런 사람 다시 없을 거야' 라고 추억하는 것

방전이 된 차에 앉아서
'가끔 시동을 걸어줄걸' 후회하는 것

너무 짠 국 앞에서
'간을 좀 볼 걸' 한탄하는 것.

아들에게 멱살 잡히고 나서야
'어릴 때 교육 잘 시킬 것' 발등을 찍는 것

부모님의 영정 사진 앞에서
'사랑한다고 자주 말할걸' 아파하는 것

<엄마, 죽지마, 박광수, RHK>

엄마도 엄마가 처음이라서 서툴렀을 뿐인데

문미영

엄마도 엄마가 처음이라서 서툴렀을 뿐인데

문미영

프롤로그

우리 엄마는 1963년에 부산에서 태어나셨다. 4녀 1남 중 장녀로 태어나신 엄마는 부유하지 않은 집안에서 동생들과 부모님을 책임져야 하는 가장이었다. 공부를 잘하고 특히 미술을 잘했던 엄마는 학창시절 성적도 좋았고 상장도 많이 받아와서 부모님의 자랑이었다고 한다.

하지만 가난한 형편 때문에 대학교는 꿈도 꿀 수 없게 되었고 상업고등학교를 진학하게 되었다. 고등학교에서도 공부를 잘해서 금융권에 취업을 하게 되었다.

외조부모님은 우리 엄마가 빨리 결혼하시기를 원했다. 결혼을 하는게 효녀라고 생각했다. 그때 우리 엄마의 나이는 고작 20대 초반이었다. 외할머니 외할아버지 성화에 못 이겨 선을 보았다. 외조부모님 고향이 경상남도 남해였고, 친조부모님이 같은 남해 출신이라는 이유만으로 우리 아빠와 몇 번 데이트하고 결혼을 하였다.

그 당시에는 여자는 결혼을 하면 일을 그만두어야 하는 분위기라 엄마는 은행을 그만두시게 되었다. 그전까지 10원하나 허투루 쓰지 않고 월급 그대로 외조부모님에게 갖다 드렸다고 할 정도로 효녀이고 알뜰한 엄마였다.

결혼을 하게 되면서 우리 엄마는 연고도 없는 허허벌판의 촌인 '포항'으로 시집을 오게 되었다. 이모들이 포항에 와보고 '어떻게 저런 시골에 살려는 거야' 하면서 걱정을 많이 했다고 한다. 18평 정도 되는 조그마한 아파트(빌라)에 신혼집을 꾸리게 되었다.

엄마 아빠는 신혼생활을 오래 못 즐기고 나를 가지게 되셨다. 입덧도 심하고 워낙에 내가 엄마를 힘들게 해서 많이 못 먹었다고 하신다.

그렇게 나는 1989년 1월에 태어나게 되었다. 엄마는 내가 처음이라 그런가 모든 면에서 서툴렀다. 내가 밥도 잘 안 먹으니 더 힘드셨다고 한다.

이런 엄마도 엄마가 처음이라 서툴렀을 뿐인데 나는 이런 엄마를 이해하지 못하고 엄마가 못해주신 것만 생각하고 서운해하고 원망을 많이 했다. 왜 나에게만 칭찬 한마디 안 해주시고, 말을 쏘아붙이시는 건지 모녀 사이는 애정이 넘치고 친구 같다고 하는데 나와 엄마의 관계는 그야말로 '애증'의 관계였다.

오히려 엄마가 없는 날이 나에게는 평화롭고 편안한 나날이었다.

엄마의 구속과 잔소리를 벗어나고 싶어서 반항도 하고 속을 많이 썩였다.

어느덧 엄마가 결혼했을 나이에 나도 결혼을 하게 되었다.
딸만이라도 조금 늦게 결혼하길 원하셨는데 내가 결혼을 한다고 했을 때 많이 속상해하셨다. 이런 내가 결혼을 하고 나서, 임신을 준비하면서 엄마의 마음을 조금이나마 이해하게 되었다.
그런 엄마에게 조금이라도 미안한 마음을 표현하고 싶었다.

엄마를 위한, 엄마에게 하고 싶은 말들을 우연히 '엄마에 관한 글쓰기' 공저에 참여하게 되면서 이렇게 글을 써본다. 엄마에 대한 미안함과 고마움을 책에 다 담을 수는 없겠지만 이렇게나마 엄마에 대한 죄책감을 조금은 덜 수 있겠지. 나만 나이가 드는 줄 알았는데 엄마의 흰머리와 나이 들어감을 보니 마음이 아프다.
이제부터라도 엄마에게 좀 잘하고 싶다.

'엄마도 엄마가 처음이라 서툴렀을 뿐인데'

2023년 11월 추워지기 시작한 날에
문미영

엄마가 원망스러웠다

나는 10~20대 시절 엄마를 많이 원망했다. 1남 1녀 중 장녀인 나에게는 비교될 정도로 잘나고 장점이 많은 남동생이 있다. 나랑 두 살 터울인 남동생. 남자이지만 엄마에게 살갑고 애교가 많고 공부도 잘하고 똑똑해서 중학교 때 상위권 성적을 유지하였다. 이런 동생에게 당연히 부모님의 사랑과 관심이 쏟아지게 되었다.

내가 시험을 치고 성적을 받아와도 '나는 당연히 공부를 못했다'고 생각했던 엄마는 서운할 정도로 관심도 덜 보이시고 그래서 서운함과 반항심에 엄마에게 유독 소리도 지르고 까칠하게 굴었다. 엄마가 무슨 말만 하면 청개구리가 되었다. 뭐든지 반대로 해야 직성이 풀렸다.

좋은 유전자는 동생이 다 가져갔다고 생각이 들 정도로 정말 나와는 반대로 잘하는 것들이 많았다. 운동도 잘하고, 공부도 잘했지만 동생이 몸이 좀 약했다.

안 그래도 동생이 부모님의 사랑과 관심을 많이 받는데 기흉 2번에 어깨 탈골로 인해 수술을 여러 번 하니 엄마의 관심은 남동생에게 더 쏠리게 되었다. 같은 자식인데 엄마는 오로지 동생이었다.

주변 사람들이나 친척들에게 이야기를 해도 동생 자랑만 하였고, 외동 아들을 키우나 싶을 정도로 동생이야기가 자연스러웠다. 호칭은 '미영 엄마' 이지만 동생의 이야기가 대부분이었다. 질투심에 동생에게 괜히 시비도 걸고 많이 싸웠다.

엄마에게 "왜 남동생과 차별했어?"라고 물어보면 "내가 언제? 나는 똑같이 좋아해 줬어. 유독 동생이 막내라 좀 더 예뻐한 거지."라는 대답이 돌아온다. 딸이지만 무뚝뚝하고 애교가 없던 나라 부모님이 동생을 더 이뻐했다는 사실을 어른이 되어서야 조금씩 이해하게 되었다. 결혼을 하기 전에는 나는 정말로 철이 없던 딸이었다.

부모님에게 반항하고, 부모님이 매를 들거나 손찌검을 하면 오히려 더 엇나가기 시작했다. 나의 이야기는 들어주지도 않고 동생과 나와 싸우면 "누나가 되어서 동생하고 싸우고, 누나가 양보하고 해야지"라는 소리만 자주 들었다. 그게 너무나 억울했다. 괜히 2살 터울의 남동생이 얄미워 엄마 아빠가 안 계실 때 동생을 밀치고 때리고 했다. 그럼 동생은 나에게 더 소리를 지르고 욕을 한다. "누나처럼 행동을 해야 누나 대접을 하지." 누나가 아닌 '야'라는 호칭도 사용한다. 필요할 때만 누나라고 공손하게 부른다. 동생과 살벌하게 싸우다가 동생이 내 방문을 발로 차서 문에 구멍이 났다. 이사 오기 전 아파트였는데, 그 집에는 오래도록 구멍이 난 그대로 있었다. 같은 행동을 해도 동생 편만 들어주고, 나를 혼내는 엄마의 행동이 이해가 되지 않았다. 동생이 너무 싫었다. 동생이 없어졌으면 좋겠다는 생각도 많이 했다. 동생만 없으면 나는 이쁨을 많이 받을 텐데라는 생각도 했다.

서로 욕도 하고 때리고 물건을 던지고 소리 지르고 밀치고. 동생은 그러면 바로 엄마에게 쪼르르 달려가서 이르곤 했다. 그럼 항상 엄마는 “너가 누나인데 참아야지, 누나가 되어서 동생을 괴롭히면 되냐. 어휴 진짜. 넌 대체 누굴 닮아서 이렇게 속을 썩이냐. “라는 말로 나만 혼냈다. 동생이 먼저 시비를 걸 때도 많았는데 억울했다.

동생은 매번 “너가 그러고도 누나냐. 누나답게 행동을 하고 모범을 보여야 내가 누나 대접을 하지.” 라는 말로 열 받게 하였다. 자기가 필요할 때만 ‘누나’이고 평소에는 ‘야’로 부른다.

엄마의 이런 차별적인 행동에 나는 점점 더 엄마에 대한 미움과 증오, 동생에 대한 질투심이 스멀스멀 올라오기 시작했다.
‘왜 엄마는 나만 미워하는 것일까. 왜 엄마는 같이 싸워도 나만 혼내는 것일까? 왜 나만 엄마에게 혼나는 것일까. 혹시 다리 밑에서 주워왔나? 친엄마 찾으러 가야하나?’라는 생각이 꼬리에 꼬리를 물기 시작했다.
‘엄마는 나만 미워하는 게 분명해. 동생만 예뻐해.’ 엄마 때문에 나는 동생이랑 더 자주 싸웠다.

엄마가 동생만 차별한다고 생각하니 동생이 꼴보기 싫었다. 괜히 동생 밥그릇에 밥을 몰래 더 얹고 식탁 밑에서 엄마가 안 볼 때 발로 차고 꼬집기도 했다. 그럴 때면 또 여우 같은 남동생은 엄마에게 이르기 바빴다. 그러면 엄마는 나에게 더 화를 내고 혼내셨다. 나는 너무 억울했다. 같은 행동을 해도 동생은 별로 혼나는 것 같지 않았다. 이렇게 나는 엄마를 원망하며 지내왔다. 동생과 엄마는 나에게 있어 스트레스 같은 존재였다.

그래서 나는 결심을 하였다. 집을 나가기로.

엄마의 속박에서 벗어나고 싶었다

'그래, 결심했어. 가출을 하는 거야.'

고3 때까지는 엄마가 원망스러웠어도 학교 수업도 착실히 안 빠지고 잘 지내려고 노력했다. 학생의 본분은 학교 수업을 잘 듣는 것이라는 생각이 있었다. 몸이 아프거나 홍역으로 결석을 하고 못 간 적은 있었어도 웬만하면 결석을 하지 않았다. 아마 부모님이 '바른 생활 사람'으로 나를 키우셔서 그게 당연한 것인 줄 알았다.

문제는 대학교에 들어가서 터졌다. 곪았던 마음속 상처들이 뒤늦게 터졌던 것이다. 사춘기가 늦게 왔나 싶을 정도로 나에게는 제일 반항기가 심했던 때가 바로 20대이다. 대학교도 집에서 통학을 하고 부모님의 간섭은 성인이 되어서도 심했다. 통학버스도 다니고 자취는 절대 허락을 안 해주실 것 같고 나는 독립을 하고 싶었다. 통금시간도 저녁 9시였던 것 같다. 한창 친구들과 술 마시고 놀러 다니고 연애도 하고 싶은 시절인데 통금시간과 여러 가지로 스트레스를 받았다. 연애를 한다고 하니 간섭도 심해지는 것 같았다. 9시만 넘으면 엄마의 전화와 문자가 많이 왔다. 강압적인 말과 압박하는 목소리 등 엄마의 행동이 너무 싫고 무서웠다. 나도 더 놀고 싶은데, 허락을 해주시지 않았다. 나도 성인인데…

더이상 못 참겠다는 생각이 들었다.
곪은 상처가 터질 대로 터졌다.
결심을 하고 휴대폰을 껐다.
가출을 결심했다.

부모님이 걱정되어서 전화를 수십통을 했고 부재중 전화 목록과 문자로 가득했다. 대구에 사는 친구 집에서 신세를 지고 그 당시 연애를 했던 남자친구집에서도 신세를 졌다. 내가 휴대폰을 꺼놓으니 그 당시에 남동생을 시켜 '싸이월드'에 가입을 시키기도 했다. 그렇게 일주일 정도 방황을 하였다. 그래도 대학교 수업을 빠질 수는 없으니 수업에는 나왔다. 부모님이 대학교 동기에게 전화를 해서 나의 근황을 물어보셨나보다. 수업이 끝나고 나가려고 하는데 부모님이 강의실에 들어오셨다. 그리고는 막 화를 내셨다.
일단 교수님과 동기들이 보기 창피하니 못 들은 척하고 나갔다.
엄마는 걱정되었다는 표정과 말투로 온갖 나쁜 말들을 쏟아내시고 집으로 가자고 하셨다. 집에서 엄청 욕을 많이 먹었다.

나는 억울했다. '무사히 잘 지냈으면 된 거 아닌가. 그러게 누가 숨막히게 간섭하고 그러래'하면서 여전히 엄마를 원망했다. 그 이후로도 나는 약을 털어놓고 죽고 싶다는 행동을 보였다.
'엄마 아빠 간섭 때문에 살 수가 없다고.' 가출 사건은 그렇게 종료가 되었고 그 이후로 엄마는 나에 대한 간섭을 줄이셨다.

그렇게 나는 '내가 속박에서 벗어날 수 있는 건 결혼뿐이다' 라는 생각이 들어 주변 사람들에게 소개팅을 부탁하고 연애를 하였다.

20대 초반에 나랑 1년 정도 연애했던 영국인이 "너랑 결혼하고 싶어"라는 말을 하며 프로포즈를 했었고 엄마는 "너가 너무 어린 나이인데 무슨 결혼이냐"며 반대하셨다. 아마 나이도 어리지만 아마 외국인이라는 이유만으로 반대하신 것 같다. 결혼을 하면 영국에 가서 살아야 하니까.

엄마의 속박에서 벗어나고 싶다는 생각이 어릴 때부터 있었다. 그래서 나는 '결혼'만이 유일하게 내가 벗어날 수 있는 길이라고 생각했다. 남들은 가볍게 소개팅으로 남자를 만나 연애를 하고 데이트를 할 때 나는 '결혼'을 생각하고 소개팅을 하고 연애를 하였다. '이 남자라면 결혼하면 잘 살 수 있을 거 같다'라는 생각을 먼저 하게 되었다. 그래서 동갑내기와 연하도 만나보았지만 결혼할 배우자로는 아니었다는 생각에 헤어졌다.

지금의 남편을 우연히 학교 동기 오빠의 소개로 만나게 되었다. 그 당시 나의 나이는 27살, 남편은 34살이었다. 남편은 결혼할 나이가 되고 하니 부모님과 주변 사람들로부터 중매나 선자리가 많이 들어왔다. 여자들을 많이 만나봤지만 인연이 아니었는지 다 잘 안 되었다고 한다. 나를 만났을 때 조건도 첫인상도 별로였다고 한다. 원하는 조건의 여자가 아니었지만 호기심에 나왔다고 한다.
인연이었는지 그렇게 우리는 3번의 만남에 연애를 시작하였고 1년 4개월의 연애 후 결혼을 하게 되었다.

엄마는 내가 딸인지라 20대에 결혼하는 걸 못마땅해하셨다. 게다가 남편이 7살이나 연상인데다가 시댁 어르신들을 보곤 더 반대를 하셨다. 하지만 나는 엄마의 구속과 속박에서 벗어날 수 있다는 생각에 그저 좋았다. 빨리 결혼을 한다고 했을 때 엄마는 나를 설득하기도 하고 혼내기도 하고 말을 안 하기도 하셨다. 혼수를 준비하는 과정에서 엄마와 감정 싸움도 많았다.

"나 너 혼수 가전 안 사줄 테니까 너 알아서 준비하고 결혼해."
라고 하셨다. 그런 모습을 본 우리 아빠는 이 상황이 답답하고 모녀 관계를 풀어주고 싶었는지 아울렛에 데려가셨다. 아울렛에서 엄마와 나는 쇼핑을 하고 드라이브를 하며 조금씩 관계가 호전되었다. 결혼 준비를 하면서 엄마의 속을 또 썩였고 나는 그렇게 또 엄마의 가슴에 대못을 박았다. 지금 생각해 보면 '남자는 어디서나 또 만날 수 있고 또 있지만, 엄마는 한 명뿐인데 왜 그랬을까'라는 후회가 밀려든다.

결혼을 하니 엄마로부터의 구속과 속박은 벗어나게 되었지만 남편과 또 다른 부모(시부모)의 구속을 받게 되었다.
차라리 내 핏줄인 엄마의 구속을 받는게 훨씬 나았다는 생각이 들었지만 내가 좋아서 한 선택이니 엄마를 원망해봤자 소용없다는 것을 깨달았다.
구속에서 벗어나려고 한 결혼이었는데 또 다른 제약이 있다는 걸 결혼을 하고 깨달았으니 나는 참 어리석고 철없는 사람이다.

지금 와서 생각해보니 엄마는 엄마가 처음이셨고, 방법을 몰라서 더 나에게 서툴고 부족한 점이 많았던 것 같다. 동생을 키우셨을 때는 그나마 나를 키워 본 경험치가 쌓여서 조금 더 능숙했고, 몸이 약하게 태어나서 더 신경이 쓰여 잘했던 것 같은데 나는 그런 엄마의 마음을 몰라줬던 것 같다. 그저 나를 구속하고 미워한다고 생각해서 더 엇나가려 했고, 이런 나의 행동에 엄마는 얼마나 힘들고 마음이 아프셨을까. 엄마의 진심은 그게 아니셨을 건데, 엄마를 몰라주는 나를 얼마나 원망하셨을까. 딸은 엄마에게 든든한 친구이자 정서적인 교감을 주고받는 존재라고 하는데 엄마에게 원수처럼 행동했다.

엄마는 요즘 세상이 흉흉하고 무서우니 딸인 나를 지켜주려는 마음에서 더 구속했던 것 같다. 하지만 엄마가 나만 외박도 허락 안 해주고, 독립은 더더욱 안 된다고 하니 배신감이 들었던 것이다. 동생은 외박하거나 새벽에 들어와도 그렇게 잔소리를 하시지 않았는데 왜 유독 나에게만 구속을 하셨는지 30대가 되고 결혼을 해보니 엄마의 마음이 조금은 이해가 된다. 그래서 나는 결혼을 하고 싶어 하는 사람들에게도 이야기한다.

"부모님의 구속과 속박에서 벗어나고 싶어서 도피처로 결혼을 하는 거면 나는 이 결혼은 다시 한번 생각해 보는 게 좋겠어. 나도 부모의 구속에서 벗어나 자유롭게 살고 싶어서 결혼을 서둘렀는데 그게 정답은 아니더라. 부모에게 벗어나기 위해 결혼을 생각하는 사람들은 결국에 결혼하고서도 불행하게 사는 사람들이 많아. 다시 한번 생각해 보면 좋겠어. 나의 경험이야."

갑상선 암에 걸린 엄마

2015년, 취업을 하고 직장생활을 하느라 울산에서 자취를 할 때였다. 회사에서 일하고 있는데 아빠에게 전화가 왔다.
"왜요? 무슨 일 있어요?"
"엄마가 건강검진을 했는데 갑상선암이란다. 수술을 해야 한다고 하네." 당황했다. 나도 모르게 눈물이 나왔다. 아마 회사만 아니었으면 소리 내어 울었을 것이다. 원래 불효를 저지른 자녀가 더 슬퍼한다고 하는데, 내가 아마 그런 기분이었나보다. 시무룩한 표정으로 통화를 하고 들어오니 직원분이 물어보셨다.

"무슨 일 있어요, 미영씨?"
"아 저 그게 엄마가 갑상선암이라고 하네요."
"아, 어떡해요. 걱정이 많으시겠네요. 갑상선암은 요즘 그나마 암 중에서 고치기 쉽다고 하니 너무 걱정하지 마세요."

나는 바로 동생에게 전화를 걸었다. "엄마, 갑상선암이래." 전화기 건너편에서 나보다 마음이 여린 남동생이 훌쩍이는 목소리가 들린다. "엄마 갑상선암이라고? 어떡해?" 동생의 울음에 나는 또 다시 울컥했다. 아마 그때 눈물이 많이 났던 것 같다.

다행히 엄마는 갑상선암 수술을 무사히 끝나고 지금은 1년에 1~2번 서울의 병원에 가서 정기검진을 받고 계신다. 엄마가 갑상선 암 진단을 받았을 때 어떤 생각이 드셨을까? 어떤 기분이셨을까? 동생도 나도 직장생활을 하느라 타지에 나와 있어서 엄마의 곁에 있어 주지 못했다. 만약 내가 그 당시에 그 자리에 함께 있었다면 엄마가 어떤 심정인지 조금이나마 이해를 했을 거고 병원에도 같이 다녔을 건데 …. 엄마가 갑상선 암에 걸렸을 때 함께 있어주지 못한 게 지금 생각해도 너무 아쉽다. 그래서 이 글에 갑상선 암 진단받았을 때의 엄마에 대한 감정을 다 담지 못한다. 아마 이때 엄마에 대한 미안함이 가장 컸던 시기였다.

엄마의 갑상선 암이 완치가 되어 다행이지만 엄마는 갑상선을 제거하셔서 그런가 요즘 체력도 정신력도 많이 약해지셨다고 한다. 그리고 기억력도 안 좋아지셨다. 조금만 움직여도 피곤하고 힘이 들며, 남들이 춥다고 할 때도 혼자 덥다고 하실 정도로 체온 조절 능력도 떨어지셨다. 정신이 없어서 자주 깜빡깜빡하시고, 기억력을 조금이나마 유지하기 위해 요즘 펜 드로잉과 한자수업을 들으러 다니신다. 한때 영어 회화 수업도 열심히 들으러 다니셨다. 그리고 아빠와 단둘이 유럽과 동남아시아 여행을 다녀와 나에게 사진을 보여주며 자랑을 하셨다.

엄마가 갱년기와 갑상선암 후유증을 긍정적으로 회복하기 위해 노력하는 모습을 보니 안심이 되기도 하고 미안한 마음도 든다. 그런 엄마를 볼 때마다 '다 내가 속을 많이 썩여서 엄마가 스트레스를 받아서 그런 거다'라며 자책했다. '내가 만약에 가출도 안 하고 모범생처럼 공부를 잘하고 엄마 말을 잘 들었다면 엄마는 지금처럼 아프시지 않았겠지?'라는 생각이 들어 죄책감이 들었다. 그때부터 엄마에게 조금 더 잘하는 딸이 되어야겠다는 다짐을 해보았다.

결혼을 하고 바라본 엄마

엄마가 결혼했을 당시 나이와 내가 결혼했을 때 나이는 비슷했다. 우리 엄마는 딸이라서 고생을 할까봐 항상 결혼을 늦게 하거나 하지말라고 하셨다. 딸이 고생하는 게 싫다는 게 엄마의 마음인가 보다. 하지만 나는 부모님의 속박에서 빨리 벗어나고 싶었다. 안정적이고 든든한 내 남편과 하루라도 빨리 살고 싶었다. 아마 철이 없어서 그런 생각을 했을 것이다.

남편의 나이가 결혼적령기라 나는 생각보다 일찍 결혼을 하게 되었다. 남편이 나이가 35살이었으니 급했다.

엄마는 결혼하기 전 나에게 "꼭 일찍 결혼해야해? 엄마는 너가 가고 싶어했던 대학원 보내주려고 돈도 모아놨는데. 하고 싶은 거 하고 30살 넘어서 결혼 천천히 하면 안 될까?"라는 말을 하셨다. 엄마 때문에 결혼을 빨리 하고 싶었다고 하면 우리 엄마는 아마 놀랄 것이다. 우리 엄마는 내가 결혼하고 나서 "빨리 결혼해서 나가길 잘한 것 같다. 속이 시원하다는 말도 하셨다. 우리 엄마의 진심을 알 수가 없다.

주변에 엄마 친구들 딸은 아직도 결혼을 못하고 있거나 결혼 생각이 없는 딸이 많으니 내가 시집간 것에 대해서 내심 뿌듯하신 눈치다.

그렇게 나는 결혼을 하고 엄마는 제대로 살림을 안 가르치고 시집보낸 것에 대해서 미안함과 답답한 마음을 갖고 계셨고 우리 남편 (사위)의 눈치를 많이 보셨다. 사실 우리 엄마는 첫째가 딸이어서 시어머니(할머니)로부터 온갖 잔소리와 구박을 받으셨다고 한다. 심한 정도는 아니었지만 시댁에 갈 때마다 "얼른 둘째 낳아야지. 둘째는 아들이야."와 말을 들으셨고 나에게도 "미영아, 다음엔 남자 동생으로 부탁해."라고 하시며 나에게도 남동생을 이야기하셨다고 한다. 정작 나는 기억에도 없지만 엄마가 간혹 이야기를 하셨다.

할머니가 내가 어렸을 때 돌아가시고 할아버지까지 돌아가신 이후로는 시댁에도 안가시고 시집살이도 끝나셨다. 남동생을 낳아서 그나마 아들에 대한 잔소리가 없어지셨지만 아들에 대한 압박과 시집살이 때문에 엄마는 스트레스를 받으셨다고 한다. 아빠가 막내아들이라 그나마 큰어머니보다는 시집살이를 덜 당하셨지만 아마 시누이(고모) 때문에 더 스트레스를 받으셨던 걸로 기억한다. 그래서 상견례를 했을 때도 우리 엄마는 사돈어른을 마음에 들어 하지 않으셨다. 시부모님이 나이도 많으신 데다가 말씀도 많으셔서 딸을 가진 부모로서 걱정이 많으셨다. 결혼하기 전에는 콩깍지가 씌여서 남편 하나 보고 결혼을 할 거라고 고집을 피웠다. 자식 이기는 부모 없다고 "나중에 결혼하고 나서 왜 결혼 안 말렸냐고 원망하지 말라"는 엄마의 말도 귀에 들리지 않았다.

그렇게 나는 결혼을 하게 되었고, 결혼식을 하는 내내 나는 웃고 있었다. 엄마는 또 그런 나에게 서운했나 보다. 결혼은 '집안과 집안의 만남'이라는 말을 결혼 전에는 이해하지 못했다. 결혼을 하고 7년째 살면서 시부모님 때문에 스트레스를 많이 받았다. 이래서 엄마가 "결혼할 때는 배우자의 집안도 봐야 한다"고 강조하셨구나. 왜 그렇게 내가 어린 나이에 시집간다고 했을 때 말리셨는지 이해가 되기 시작했다.

결혼을 하고 바라본 우리 엄마는 '시부모님의 잔소리와 시집살이, 남편에 맞춰야 하는 그런 삶을 우리 딸만은 살지 않기를 바라셨겠구나'라는 생각에 우리 엄마가 새삼 더 대단하고 측은하게 느껴졌다. '우리 엄마도 우리 외할머니에게 자랑스러운 첫째 딸이었을 건데 아빠한테 시집와서 고생이 많으셨겠구나. '생각에 엄마를 달리 보게 되었다.

아이를 준비하는 예비 엄마로서 바라보는 엄마

결혼한 지 7년이 되었지만, 아직 아이가 없다. 아니 정확히 말하면 아이를 갖고 싶어도 생기지 않는 '난임부부'이다. 2018년에 한 번 임신이 되었다. 하지만 11주 만에 아이의 심장이 뛰질 않아서 보내주게 되었다.

그렇게 계속 한의원과 산부인과에 다니며 노력하다가 두 번째 아이는 시험관 시술 세 번째 만에 임신에 성공했다. 신혼 3년 차까지 우리 엄마는 “좋은 소식 없어? 왜 아기 안 가져?”라며 닦달하셨다. 아기를 낳기만 하면 엄마 아빠가 봐주겠다고 하시며 첫 손주를 기다리셨다. 나는 “안 낳는 게 아니라 안 생겨서 병원 다니고 있어” 라며 엄마 아빠를 걱정시켰다. 엄마는 “결혼했는데 아이를 안 낳으면 시댁에서 뭐라 안 하냐”며 오히려 내 걱정을 더 하셨다.

첫 임신 소식을 알렸을 때 우리 엄마는 너무 좋아하셨다.
먹고 싶은 거 있으면 챙겨주셨고, 입덧을 한다고 했을 때 걱정을 하셨다. 하지만 아이의 유산 소식을 알리고 몸조리 겸 집에 한 달 정도 와 있었다. 남편이 일부러 휴가를 내서 나를 돌보려고 했는데 엄마가 사위랑 같이 내려오라고 해서 나는 엄마의 관심을 받으며 한 달 정도 몸조리를 했다. 무조건 엄마가 해준 밥 먹고, 찬바람 쐬면 안되서 따뜻한 이불속에 누워있는 시간이 좋았다. 엄마는 “아직 엄마 될 준비도 안 된 어린애 같이 보이는 애가 애기를 가진다고 하니 걱정이 많다.”는 말을 늘 하시곤 했다. 엄마가 젊은 나이에 엄마가 되었는데 또 환갑도 안 된 나이에 할머니가 된다고 하니 걱정이 많으셨다.

결혼한 지 5년이 넘어가고 한번 유산 경험이 있어서 점점 임신에 대한 압박은 하지 않으셨다. 오히려 내가 시험관 아기를 한다고 말했을 때 "나는 너가 임신을 안 하길래, 애 낳을 생각이 없는 줄 알고 말 안 했지. 요즘 아기 없이 사는 부부도 많다는데 너도 그냥 힘들게 시험관 하지 말고 그냥 둘이서 잘 살아."라고 하였다. 나는 나도 아기를 원하지만 남편이 더 아이를 원하고 있다고 말하니 "그럼 진즉에 나이가 한 살이라도 어릴 때 노력하지. 너희 남편 이제 나이가 40이 넘었는데 언제 낳아서 언제 키우려고 그래?"라며 부모의 입장에서 조언을 하였다.

두번째 유산을 했을 때 엄마는 멀리 살아서 더 걱정이 되었는지 미역과 내가 좋아하는 밑반찬들을 잔뜩 만들어서 택배로 보내주셨다. 남편은 엄마에게 전화해서 미역국을 끓이는 방법을 물어보고 열심히 끓여주었다. 엄마가 되진 않았지만 예비 엄마로서 우리 엄마를 바라보니 또 다른 기분과 느낌이 든다.

엄마도 엄마가 처음이라 많이 서툴고 입덧 때문에 더 힘들었을 건데 나는 엄마가 나만 차별한다고 서운해하고 힘들게 했던 것들이 주마등처럼 떠올라 엄마에게 미안한 마음이 많다. 엄마는 내가 첫 자식이라고 오히려 더 애정을 가지고 키웠을 건데…

이번에 다섯번째 시험관 시술에 성공하여 우리 엄마에게 손주를 안겨드리고 싶다. 엄마로서는 많이 서툴렀지만, 나를 키워본 경험이 있으시니 손주는 왠지 애정을 가지고 잘 봐주실 것 같은 기대감이 생긴다. 여자는 결혼하고 아이를 낳아봐야 친정엄마의 마음을 안다고 아이를 낳으면 철들겠지. 내가 아이를 낳고 싶은 이유 중 가장 큰 이유는 조금이라도 엄마의 마음을 이해하고 싶어서이다.

내가 아이를 낳고 키워봐야 엄마의 수고와 노력을 이해할 것 같고 손주를 보는 게 부모님에게는 또 다른 효도라고 생각한다. 엄마가 벌써 올해 환갑이시다. 엄마에게 많은 잘못을 한 만큼 엄마가 살아 계시는 동안 잘 해 드려야겠다.

에필로그

철없을 땐 엄마를 원망하고 엄마에게서 빨리 벗어나고 싶었다.
결혼하고 엄마를 조금씩 이해하기 시작하였다

엄마에 대한 글을 쓰면서 내가 그동안 많이 철없이 굴었던 행동들이 스쳐 지나가면서 눈물이 난다. 엄마가 예전에 "너 닮은 딸 낳아봐야 엄마 마음을 알지."라고 했을 때 엄마는 나에게 왜 저주를 퍼붓는 거냐며 큰소리 쳤는데 진짜 나를 닮은 딸을 낳으면 그 마음을 조금은 알 것 같다.

엄마는 나를 미워하거나 싫어했던 게 아니라 내가 첫 자식이라 어떻게 해야 할 지 방법도 몰랐고 도움을 받을 사람이 없어서 더 힘들어했던 것이다. 내가 태어났던 1980년대는 육아용품도 많이 없었으며 천 기저귀를 사서 빨아서 입힐 정도로 우리 엄마가 나를 키울 당시에는 많은 것들이 부족했다. 그런 상황에서도 우리 엄마는 나를 잘 키우기 위해 노력하셨고, 아는 사람 없는 낯선 포항에 와서 아빠와 나에게 부족함이 없이 가정을 꾸리기 위해 혼자서 애쓰셨을 것이다.

청소년기에는 사춘기라는 핑계로 엄마를 힘들게 했고, 성인이 되어서는 나도 먹고 살기 바쁘다는 핑계로 엄마의 마음에 못을 박았다. 엄마도 나에게 서운한 감정이 많으셨을 건데 나만 엄마에게 상처를 받았다는 생각으로 이기적으로 굴었다. 엄마의 진심은 그게 아니었을 건데 엄마의 마음을 결혼하고 아이를 임신하려고 준비하는 과정에서 조금이나마 느낄 수 있었다.

인독기 (인스타로 독서습관 기르기)에서 엄마에 대한 글을 공저로 써보자고 했을 때 망설임 없이 신청을 하였다. 하지만 엄마에 대한 글을 쓰는 내내 마음이 아려왔다. 유독 엄마에게 못되게 굴었던 내가 엄마에 대한 글을 쓸 자격이 있을까, 엄마가 이 글을 읽으면 무슨 생각을 하실까 하는 생각에 후회를 했던 순간도 있다. 하지만, '엄마에 대한 헌정글'이라는 생각을 하며 글을 써내려가니 한결 마음이 편해졌다.

아직도 나는 나이에 비해 철이 없는 철부지 딸이다.
아기를 낳고 나면 엄마에 대한 마음가짐과 행동이 달라지겠지 우리 엄마는 내가 손주를 낳으면 어떤 기분이실까? 나에게 했던 것처럼 강하게 키우실까? 아니면 오히려 손주라서 다정하게 키워 주실까? 궁금하다. 얼른 이쁜 손주를 낳아서 엄마의 품에 안겨드리고 싶다. 손주를 통해 못다 한 효도를 하고 싶다.

엄마, 내가 많이 미안했어. 이제라도 내가 잘할게.

엄마에 대한 글을 쓸 수 있도록 자리를 마련해주신 인독기리더 주희님과 공저책 코치님인 유진님에게 지면을 빌어 감사 인사를 드리고 싶다.

감사합니다.

돌아갈 수밖에 없는 이유는 엄마였습니다

손유진

돌아갈 수밖에 없는 이유는 엄마였습니다.

손유진

엄마는 그래도 되는 줄 알았습니다.

어린 시절, 엄마는 언제나 강인했다. 적게 먹고, 잠도 부족해도 늘 씩씩하셨다. 불평 한마디 없이 집안일과 육아를 오롯이 혼자 감당하셨다. 자신보다 아이들을 먼저 챙기는 모습이었다. 아픈 모습을 본 기억도 없다.

엄마는 그런 존재라고 생각했다. 엄마의 자격이라고 여겼다. 엄마는 그래야한다고 생각했다. 그런데 내가 엄마가 되어보니, 엄마는 그렇게까지 강인할 필요가 없었다는 것을 알았다. 엄마도 연약한 인간의 한 존재라는 것을 마흔이 넘어서야 알게 되었다.

어둠이 깔린 방 한쪽에서, 어린 시절의 나는 엄마를 바라보곤 했다. 새벽 일찍 일어나 조물조물 무엇인가를 만드시는 엄마. 손바닥에 놓고 굴리기도 하고, 엄지로 구멍을 내어 튜브 모양을 만드시는, 그것은 엄마표 도넛이었다. 그 도넛은 어린 시절 내가 가장 좋아하던 간식이었다. 엄마는 그렇게 어린 세 아이가 집에서 배곯지 않고 엄마를 기다리도록 늘 새벽같이 간식을 만들어 놓으셨다. 희미한 불빛 아래에서 만드시는 모습이 지금도 선명하게 떠오른다. 장녀인 나는 항상 동생들보다 먼저 일어나 엄마 곁에 앉았다. 갈색빛을 띠고 바삭하게 구워진 도넛에 설탕을 솔솔 뿌려주시곤 하셨다. 그 맛있는 도넛을 바로 먹고 싶은 마음을 꾹 참고, 동생들이 일어나면 함께 나눠 먹기로 마음먹었다. 그때 밖에서 엄마를 찾는 소리가 들렸다. "유진이 엄마, 일 가야 해요."

그 소리에 엄마는 잠시 멈추셨다가, 나에게 동생들 잘 돌보라는 눈빛을 보이시고는 문밖으로 나가셨다. 엄마의 뒷모습은 외롭게 보였다. 엄마도 여자로서, 한 인간으로서 자신의 삶을 살아갈 권리가 있었는데, 그걸 이제야 깨닫는 나는 마음이 아팠다. 엄마는 항상 우리를 위해 희생하셨지만, 이제는 엄마 자신을 위해서도 살아가셨으면 좋겠다. 엄마의 행복이 필요한 시간이다.

한 지붕 아래 네 가족이 살던 시절이었다. ㄱ자 모양의 지붕 아래 왼쪽 가장 끝에 우리 집이 있었다. 부엌 하나에 방 하나가 딸린 곳에서 다섯 식구가 말 그대로 옹기종기 살았다. 아버지는 몇 달에 한 번씩 집에 돌아오셨다. 원양어선을 타시는 아버지는 외국의 바다를 항해하다가 1년에 두세 번쯤 집에 들어오셨다. 들어오실 때는 양손에 서양 장난감과 과자들로 가득했다. 아버지는 산타클로스보다도 더 반가운 존재였다. 멀리 떨어져 살 때는 그랬다.

세 아이를 데리고 혼자 생활해야 했던 엄마의 삶은 얼마나 외롭고 고단했을까. 그걸 그때는 몰랐다. 당시 엄마는 지금의 나보다 어린 나이였다. 30대였던 어린 나이에 세 자녀와 낯선 도시에서 살아나간다는 것은 쉽지 않은 일이었을 것이다.

낯선 도시라고 한 건 우리가 이 도시(강원도 동해시)로 이사 온 지 얼마 되지 않았기 때문이다. 경상북도 포항에서 태어나고 자란 아버지와 경상북도 문경시 출신의 엄마는 연고도 없는 강원도로 도주하듯 오게 되었다. 시댁 식구들을 피해서였다. 장남이었던 아버지는 중학교를 다니면서부터 장사를 하며 집안 경제를 도맡았다. 머리가 좋아 수재 소리를 듣고 자라던 아버지는 공부해볼 시간도 갖지 못하고 학교를 다니는 동안에는 멸치를 팔거나 할머니가 작업해온 수산물을 가지고 나가 팔아 집안 살림을 도왔다. 지금으로서는 상상도 할 수 없는 일이지만 그때는 다들 그렇게 살던 시절이었다. 옛 추억의 한 장면처럼 말씀하시기도 하셨다. 엄마는 그 부분을 가장 마음 아파하셨다. 머리가 좋았던 아버지는 공부를 끝까지 했어야 한다고.

낯선 도시에서 바로 할 수 있는 일은 역시나 몸을 쓰는 일이었다. 그것도 남들이 쉽게 하지 못하는 일을 한다면 돈은 더 많이 벌 수 있었다. 그래서 아버지는 원양어선을 타고 망망대해로 떠나셨다. 엄마와 세 아이를 낯선 도시에 두고 말이다.

아침 일찍부터 밤늦게까지, 끊임없이 돌아가는 삶의 무게를 혼자 짊어지고 계셨다. 그런 엄마의 모습을 보며, 나는 엄마가 강인하고 무엇이든 견딜 수 있는 존재라고 생각했다. 엄마의 희생이 그저 엄마로서의 역할이라고, 그저 그렇게 받아들였다. 당연한 것이라고 여겼다. 하지만 시간이 흘러 나도 성장하고, 세상을 조금 더 넓게 바라보게 되면서, 엄마의 삶에 대해 다시 생각해보기 시작했다. 엄마도 한때는 꿈이 있었을 것이다. 젊은 날의 엄마는 어떤 모습이었을까? 엄마도 한때는 누군가의 소중한 딸이었고, 자신만의 이야기와 꿈을 가진 존재였을 것이다.

엄마는 자신의 꿈을 접고, 오직 가족을 위한 삶을 선택했다. 그 선택이 과연 엄마에게 얼마나 큰 희생이었을지, 이제야 조금은 이해할 수 있게 되었다.
지금 나에게 엄마와 같은 삶을 살라고 하면 과연 그럴 수 있을까? '내'가 아닌 가족을 위한 삶을 살아라고 하면, 상상만으로도 숨이 막혀 온다.

마흔이 넘어서야, 나는 엄마를 보기 시작했다. 비로소 세 아이의 엄마가 되고 나서야 엄마를 볼 수 있게 되었다. 엄마의 삶을 이해

한다는 것은 먼 여정이지만, 그저 바라보기 시작한 것이다.

엄마의 삶을 바라보는 것은 늦게나마 찾아온 깨달음과도 같다. 나의 모습이 될 수도 있는 엄마의 삶을 말이다.

엄마도 누군가의 귀한 딸이었다.

우리는 종종 엄마를 '엄마'라는 역할에만 국한하여 생각한다. 하지만 엄마도 한때는 누군가의 소중한 딸이었다. 제가 저의 딸을 소중히 여기듯, 엄마도 귀한 딸로 태어나 자랐을 것이다. 그녀에게도 어린 시절의 추억, 첫사랑의 설렘, 꿈과 희망이 가득했던 날들이 있었을 것이다.

어린 시절의 엄마는 어떤 모습이었을까? 아마도 무한한 가능성을 품고, 세상을 호기심 가득한 눈으로 바라보았을 것이다. 내가 자라면서 겪었던 감정들을 엄마도 똑같이 경험하며 자랐을 것이다. 어느 날 갑자기 엄마로 태어난 사람이 아니니까. 친구들과의 추억, 학교에서의 즐거웠던 순간들, 가족과의 따뜻한 시간들. 그 모든 순간들이 지금의 '엄마'다. 종종 엄마의 어린 시절을 듣고 있자면, 천진난만한 아이의 표정이 나오기도 한다. 그랬던 그녀는 지금 그저 '엄마'로 단정 지어진, 고단한 삶을 살아가고 있다. 엄마의 역할은 끝이 없으니, 엄마는 그냥 '엄마'로 충실히 살아간다.

엄마 자신의 삶을 뒤로 한 채, 가족을 위해 모든 것을 바치는 삶을 살았다. 그 속에서 어쩌면 엄마는 자신이 누군가의 소중한 딸이었다는 사실을 잊고 살았을지도 모른다.

친정집 장롱 속에서 엄마의 결혼사진을 우연히 발견했다. 빛바랜 흑백 사진 속에서 엄마는 긴장된 표정으로 혼례복을 입고 서 있었다. 앞으로 펼쳐질 삶을 전혀 가늠할 수 없는 표정이었다. 낯선 여행을 떠나는 여행자의 표정 정도로 해야 할까. 기쁘지도 그렇다고 두려워 보이지도 않는 무채색의 표정을 보니, 엄마는 이때 무슨 생각을 하고 있었을까 궁금해졌다. 어색하기 짝이 없다. 혼례복이며 좋은 날에 지은 표정이며. 20대의 어린 여자는 잘 맞지도 않는 혼례복을 몸에 두르고 그렇게 엄마가 되기 위한 가보지 않은 여행을 떠났다.

"엄마도 내 귀한 딸이다. 내 딸내미 왜 이렇게 부려먹냐?" 엄마가 아이들에게 하는 말이 들렸다. 엄마의 눈에는 여전히 나는 아이들의 엄마이기 전에 당신의 귀한 딸이었던 것이다.

엄마도 누군가의 귀한 딸이었다. 이 말이 유난히도 귓가를 맴돌았다. 우리 엄마도 귀하디귀하게 자랐을 텐데, 외할머니가 살아계셔서 그런 딸이 고생하며 사는 모습을 보고 계시면 마음 아파하셨을 것이다.

엄마의 옛이야기를 듣고 있자면, 시대극에서 볼 법한 장면들이 떠오른다. 친가 할아버지의 이야기는 가끔 들어 어느 정도 알고 있었지만, 외가 이야기는 좀처럼 하지 않으셨다. 나이가 들어가셔서인지, 옛 추억 일화를 자주 들려주시는 요즘이다. 최근에 우연히 들은 엄마의 어린 시절은 두 귀를 쫑긋 세우고 들었다. 외가에 대한 추억이 많이 없기도 하고, 외할아버지에 대한 일화는 드라마에 나올 법한 파란만장한 삶이기 때문이다.

경상북도 문경시가 본가인 고씨 집의 넷째 딸로 태어난 엄마는 몸이 허약한 아이로 태어났다. 팔다리가 앙상하고, 먹는 대로 토를 하는 알 수 없는 병이었다. 영양이 부실한 탓에 앞도 제대로 볼 수 없어, 엉금엉금 기어서 밥을 먹으러 나오거나 더듬더듬 집안을 돌아다니며 생활했다고 한다. 용하다는 무당을 모두 찾아봤지만 묘수는 없었다. 엄마가 태어나고 외할아버지가 하시던 사업도 잘되고 살림이 잘 돼 복덩이라며 좋아하던 그 시간도 허약한 딸을 오랫동안 보살피며 조금씩 지쳐가고 있었다. 어느 날, 친구들이 함께 놀자는 말에 앞도 잘 보이지 않는 넷째 딸은 더듬거리며 친구들 뒤를 따라가다가 길을 잃었다. 낮인지 밤인지 분간도 할 수 없을 정도였는데, 시간이 많이 흘렀다는 것은 바깥 공기의 온도 차로 알 수 있었다. 근처에 보이는 집 창고 같은 곳에 들어가서 몸을 숨기고 있었는데, 깜빡 잠이 들었다. 배가 고파 눈을 뜨고 주변을 더듬거리며 살펴보기 시작했다. 항아리 하나가 있어서 손을 집어넣었더니 무언가 물커덩 하게 잡혔다. 냄새를 맡아보니 달콤한 꿀이었다.

손가락으로 찍어 먹기 시작하던 것이 어느새 한 움큼씩 쥐어 바닥이 드러날 정도로 싹싹 비워 먹었다. 그리고 어느샌가 정신을 잃고 잠이 들었다. 시간이 얼마나 흘렀는지는 알 수 없었다. 저 멀리서 희미하게, “영숙아~~, 영숙아~~.” 하는 외할머니와 가족들의 목소리에 잠에서 깨어났다.

일어났더니 온몸이 진득한 진액으로 덮여 있었다. 피부에 덮여 있는 것이 분명 잠들기 전에 먹었던 꿀처럼 진득진득했다고 한다. 엄마 이야기로는 그때 먹은 꿀이 로얄제리였던 것 같다고 한다. 그것이 약이 되어 엄마의 병이 거짓말처럼 나았다고 한다. 꿀을 제대로 먹으면 약이 된다는 어른들의 말이 있는데, 그 꿀이 엄마에게 통했던 것이다. 그때 이후로 보이지 않던 시력도 조금씩 좋아지고, 제대로 걷지도 못할 정도의 앙상한 다리에도 살이 차오르기 시작했다고 한다.

복덩이 딸이 건강을 되찾았으니, 얼마나 귀하게 키우셨을까. 엄마는 지금도 어릴 때 대접받고 귀하게 자랐던 기억을 하고 계신다. 복덩이 딸 아래로는 아들이 두 명이나 더 태어났다. 이 또한 복덩이가 가져온 복이었을 것이다.

외할아버지는 당시 큰 사업가였다. 우리나라에 00피아노와 위스키를 처음으로 들여오신 분이셨다. 엄마의 기억으로는 어린 시절에 잠시 청와대 근처에 살았던 기억도 난다고 한다. 몇 해 전 청운동이라는 동네에 가보고 싶다고 하셔서 모시고 간 적이 있다. 청와대의 위치는 알고 있었지만 그 주변에 청운동이 있다는 것은 처음 알았다. 기억의 조각을 맞추시며 동네 한가운데서 한참을 서 계시다가 오셨다. 기억 속에 있던 그 장군의 집도, 예쁜 기생 언니들이 즐비했던 요정도 사라졌지만, 그때의 기억은 고스란히 떠오르는 듯한 모습이었다.

엄마는 부잣집의 귀한 넷째 딸 '영숙'이었다.

엄마도 여자란 걸 잊어서는 안 돼.

유난히도 꽃과 예쁜 그릇, 여성스러운 옷을 좋아하는 엄마. 70을 바라보는 그 나이에도 크리스탈 화병에 매일같이 꽃을 꽂아두고, 음식이 돋보이게 만드는 예쁜 그릇을 꺼낸다. 내가 엄마의 나이가 되면 비슷해질까, 잠시 상상해 본다.

나이가 들면 물욕도 없어지고 외모에도 관심이 없어질 거라고 생각했던 건 착각이었나 보다. 20대에 바라본 마흔이 넘은 여자의 나이는 상상만으로도 끔찍했다. 매력도 없어지고, 아무런 꿈도 꿀 수 없는 나이라고만 생각했다. 그런데 마흔하고도 여섯 해를 넘긴 지금, 나는 20대 때보다 더 푸른 꿈을 꾸며, 여자로서의 매력을 유지하기 위해 노력한다. 겉모습은 익어가고 있으나, 마음은 여전히 청춘인 것이다. 그렇다면, 내가 60대가 되었을 때는 어떨까. 아마도 지금의 마음이 그대로 이어질 것이다. 지금도, 그때도 여전히 여자로서, 여자로 봐주길 바라는 마음일 것이다. 엄마도 그런 마음일 것이다. 엄마도 같은 여자로서 예뻐지고 싶고, 아름다운 모습으로 살아가고자 하는 마음을 갖고 계실 것이다.

아버지가 돌아가신 지 10년째이다. 가끔 혼자 계신 엄마가 안쓰러워 우스갯소리로 동네 할아버지 한 분 없으시냐고, 소개받으라고 말한다. 그럴 때마다 엄마는 손사래를 치시며, 그런 말 하지 말라고 하신다.
"다 늙어서 무슨 남자냐."
농담이었다고 말하며 일단락 짓지만, 한편으로는 씁쓸하다. 여전히 사랑받을 나이신데, 혼자서 손자, 손녀의 할머니로만 살아가기에는 아깝다는 생각이 든다.
"엄마도 여자란 걸 잊어서는 안 돼."

오늘도 눈을 떼지 못한다. 예쁜 그릇을 들어보고는 이리저리 살피며, 여기에는 무엇을 담으면 좋을지, 어떤 음식에 어울릴지를 고민한다.
"이거 예쁘지?"

"어.. 어.. 그러네.."
집에도 그릇과 커피잔으로 넘쳐난다. 그런데도 끊임없이 사려는 모습을 보며 나쁜 마음이 올라온다. 머리가 아프다. 멀찌감치 떨어져 본다. 혹시나 다른 곳에 가 있으면 그냥 놓고 따라오실까 싶어.
그러다 잠시 후, 뒤돌아보니 이미 그릇은 계산대에 올려져 있다.
"말씀하시지, 사 드릴 텐데."
"아니야, 내가 사면 돼." 계산하기 싫어서 도망간 딸이 되어버린다.
'예쁜 그릇이 아직도 눈에 들어오시는구나.' 그러려니 인정하기로 했지만, 여전히 받아들이기는 힘들다. 가끔 집안을 가득 메운 엄마의 물건들을 볼 때마다 숨이 막혀오기도 한다. 하지 말아야 할 상상도 함께 몰려온다.
'엄마가 만약 돌아가시면, 죄다 버려야겠다.'
나쁜 딸이다.

"우리 할머니, 최고."

막내가 연신 엄지를 들어 올리며 할머니를 향해 최고라고 말한다. 얼마 전 새로 산 디저트 컵에 샤인머스캣과 딸기로 데코를 한 멋진 아이스크림 간식을 담아 막내 앞에 내놓으신다.

70이 된 노인이 감각도 좋고 기억력은 더 좋다. 얼마 전 커피숍에서 먹은 디저트와 흡사한 모습으로 만들어 내셨다. 천상여자다. 어릴 때부터 보고 자란 모습인데도 닮은 구석이 없다.
"배만 부르면 되지, 먹는 거에 왜 그렇게 시간을 쏟아, 엄마."

"음식은 눈이 먼저 먹는다고 했어. 눈도 즐겁고 입도 즐거우면 얼마나 좋아." 엄마의 손끝에서 나오는 음식들은 예술에 가깝다. 가끔은 같은 여자로서 부러울 때도 있다. 나이를 먹어가는 게 아까운 사람이다.

하고 싶은 것, 배우고 싶은 것도 많은 엄마는 마음은 앞서지만 몸이 따라주지 않아 안타깝게 포기해야 하는 순간들이 많아지는 하루하루를 보내고 있다.

엄마의 아름다운 그릇들은 우리 집에 하나둘씩 쌓여가고 있다. 결혼할 때 아끼고 아끼던 유럽 황실의 찻잔이며, 접시, 일본의 유명 도자기를 신혼살림으로 챙겨주셨다. 시집간 딸이 자신이 못 이룬 우아한 삶을 살아주길 바랐을 것이다. 아침이면 빨간 장미꽃무늬 찻잔에 따끈한 커피를 내려놓고, 웨딩드레스 레이스 천 커튼이 나풀거리는 거실에 앉아 여유롭게 사는 그런 모습을 상상하셨을 것이다. 자신을 닮아 하루도 마음 편히 쉴 수 없이 이리 뛰고 저리 뛰고 살아갈 것이라고는 상상조차 하지 않았을 것이다.

엄마의 방은 언제나 꽃향기다. 식물을 좋아하는 엄마의 방에는 사계절 내내 꽃이 있다. 벽장 한쪽에는 세월의 흔적이 묻은, 예쁜 무늬가 그려진 도자기 그릇들이 가지런히 놓여 있었다. 각 그릇에는 엄마의 추억과 취향이 담겨 있었다. 사극에서나 볼 법한 하얀 자기에 복(福)자가 쓰인 그릇은 엄마가 가장 아끼는 것이다. 창가에는 엄마의 관심을 듬뿍 받는 화분들이 즐비하다. 매일 챙겨주고 관심을 줘야 하는 것들로 바쁘지만, 그것들로 인해 행복하다.

엄마는 매일 아침, 정성스럽게 음식을 만들어 수집해 둔 예쁜 그릇에 담는다. 아버지가 계실 때는 바쁘게 살아 미처 해보지 못한 일들을 손자, 손녀를 위해 시도한다. 그래서인지 엄마의 요리는 맛뿐 아니라 눈도 즐겁다.

나이가 들어가셔도 여전히 아름다운 것들을 사랑하시는 엄마. 그러한 모습이 때때로 나에게는 이해되지 않았다. 그리도 또 같은 질문이다.

"아직도 예쁜 게 그렇게 좋아요?"

"아름다운 것을 보는 건 마음이 꽉 차."

그러면서 옆에 있는 손녀에게도 한마디 보태셨다.

"남의 눈에 꽃이 되렴."

때로는 엄마의 그릇장을 바라보며 가득 차 있는 그 공간에서 휑한 쓸쓸함을 느낄 때도 있었다. 그 안에 담긴 그릇들처럼 엄마의 삶도 아름다워야 하는데 형형색색 잘 빚어진 그릇과는 상반된 삶을 살아온 걸 잘 알기에 그런가 보다. 씁쓸하다.

엄마는 지금 어떤 마음이실까?

그녀의 마음속에는 어떤 꿈이 있을까?

"엄마, 하고 싶은 일이 있으셔요? 지금도 늦지 않아요. 제가 도와 드릴게요."
"네가 잘살았으면 좋겠어. 편안하게. 다 늙은 나는 이제 괜찮지만, 너는 아직 한창이니 아름답게 해놓고 잘 살았으면 하는 게 내 소원이야." 하신다. 그 말이 진심이란 걸 안다. 너무나도 잘 안다.

엄마는 자신이 못다 이룬 여자다운 삶을 나에게 투영시키고 있었다. 그래도 딸이 셋이나 있는데 한 명쯤은 이루어주지 않을까 하는 그런 바람이 있으셨을 것이다.
세 딸 모두 엄마를 닮아 고군분투하며 육아와 일에 치여 살 거라는 건 꿈이라고 믿고 싶을 것이다.
엄마는 여자로 살고 싶었고, 딸들도 그렇게 살아주길 바란다.

아버지가 돌아오셨다.

일 년에 한 번씩 돌아오는 아버지는 이번에는 허벅지는 타이트하고 아래로 갈수록 바짓단이 넓어지는 베이지색 판타롱 바지를 나풀거리며 긴 파마머리로 오셨다. 뒷모습만 봤을 때는 아버지라고는 단번에 알아보지 못했다. 낯설다. 오랜 여정을 마치고 오실 때마다 낯설다. 그저 아버지 손에 들려 있는 이국적인 장난감과 과자

만이 반갑고 이번에도 아버지는 매우 낯선 사람이다.
학교에 데려다주겠다고 하신다. 괜찮다며 만류해보지만 1년 만에 돌아오신 아버지는 딸아이가 자신을 생각해서 거절하는 거라고 예상하시나 보다. 끝내 따라나선다.

지나가던 동네 아이들이 힐끗힐끗 쳐다본다. 긴 머리에 컬이 예쁜 머리를 하고 있는 아버지를 한 번, 그리고 나도 한 번, 번갈아 본다. 쫙 찢어진 눈으로 아이들을 흘겨본다. '뭘 봐.'라는 듯이 턱을 들어 보이며 입을 삐죽거린다. 동네에서 왈가닥으로 유명했던 내가, 지금 엄마인지 아빠인지 모르는 사람과 다소곳이 걷고 있는 모습이 사뭇 우스워 보였나 보다.
'저기 아부지, 쪽팔리니깐 이제 제발 이쯤에서 가셔요.' 하고 싶다. 하지만 나는 큰딸이다. 속마음을 입 밖으로 내지 않는 장녀. 입가에만 맴돌던 그 말을 끝내 침 한 번 삼키며 위 속으로 함께 흘려버렸다. 교문 앞에 다다르자, 학교 끝나면 조심해서 오라는 말을 하고서는 돌아선다.

이번에는 제법 오래 계신다. 길어봤자 보름 정도 육지에 머물다가 다시 떠나가길 반복한 생활이 5년은 된다. 조금 더 계시기로 했나보다 싶었는데, 한 달, 두 달이 지나도 아버지는 여전히 집에 계신다. 어른들끼리 하는 말을 듣고 알았다. 육지에서 정착 생활을 하기로 했단다. 포항에서 할머니가 오셨다. 오랫동안 떨어져 지냈던 아들의 얼굴을 보고 싶어 직접 걸음 하신 거다. 그렇게 알았다. 아니었다. 얼굴이 아니고 돈이 보고 싶었다. 원양어선 기관장으로 제법 큰 돈을 받고 있던 아버지가 육지에 돌아왔다는 이야기는 즉,

돈을 많이 가지고 있다는 이야기와 마찬가지다.
“막내가 결혼한단다.”
막내 고모의 결혼 소식이다. 곁에서 듣고 있던 엄마가 슬그머니 일어나신다.
‘막내가 결혼한단다’는 ‘막내의 결혼식 비용을 너희가 마련해야 한다’로 들렸을테다. 돈이 드는 일은 모두 아버지가 도맡았다.

선비이신 할아버지를 대신에 생활전선에 뛰어든 것은 장남인 아버지였다. 글이나 읽고, 한자만 쓰고 있는 할아버지는 아이들이 굶고 있는지, 곳간에 쌀이 얼마나 있는지는 관심 없다. 그저, 조금이라도 있으면 어려운 사람, 굶고 있는 동네 사람들에게 나눠주고, 물려받은 값진 토지도 소학교를 지으라며 기부한 대인배다. 고향을 가면 할아버지를 칭송하는 이야기로 넘쳐난다. 양반이다. 글을 제법 쓰던 선비다. 그러나 가정에서는 한량 그 이상, 그 이하도 아니다. 소학교를 다니면서부터 장사를 시작했다고 한다. 어린 나이에 시작한 가장 노릇은 자신의 가정을 꾸려서도 이어졌다. 위로 누나가 한 명 있었지만 딸이라는 이유로 무거운 짐을 나눠주지 않았다. 아래로 3명이나 되는 동생들을 모두 결혼시켰다. 막내까지 책임지라는 할머니, 참 무책임하다. 자신이 할 일을 아들에게 부담을 주는 엄마의 심리는 무엇인지 성인이 된 지금도 납득이 가지 않는다.

엄마가 안 계실 때 아빠가 신문뭉치를 할머니에게 건네주었다는 이야기를 전했다. 그날 저녁 지금도 잊을 수 없는 일이 벌어졌다. 굳게 닫힌 안방 문 넘어로 얼굴을 세차게 뺨을 내리치는 소리가 들렸다.

악다구니를 쓰는 엄마의 목소리도 들린다. 귀를 막아도 보고, 잠들어보려고 안간 힘을 썼다. 금방 끝날 것 같은 악몽같은 소리가 한 시간째 이어졌다. 안 되겠다 싶어 경찰아저씨가 사는 3층으로 올라갔다. 다급히 초인종을 누르고 엄마 아빠가 싸우는데 저희집에 좀 와달라고 부탁했다.

간신히 싸움을 말린 아저씨는 엄마를 자신의 집으로 피신시켰다. 아버지는 밤새 잠을 못 이루고 이리 뒤척 저리 뒤척인다. 날이 밝자 엄마를 찾아갔다.

"엄마, 나가. 동생은 내가 잘 돌볼 테니, 엄마 나가요." 엄마에게 집을 나가시라고 짐가방까지 싸서 들고 갔던 참이다. 말없이 눈물을 뚝뚝 흘리던 엄마. 아버지의 말도 안 되는 행패를 여러 차례 보아 왔기에, 더이상은 안 되겠다 싶어 내린 결단이다. 엄마가 편안히 살았으면 좋겠다. 가방을 건네고 학교로 향했다. 수업 내내 집중을 할 수가 없었다.

수업을 마치고 집으로 돌아오니 엄마가 없었다. 집을 나가라고 한 건 나인데, 엄마가 없는 집에 들어오니 걱정이 몰려왔다.

'나는 이제 어떡하지.' 쌀을 씻었다. 배고파하는 동생들을 먹어야 하는 일은 어린 나이부터 해왔던 터라 어렵지 않았다. 황급히 울리는 전화기 소리. 심장이 뛰기 시작한다. 엄마일 게 분명하다.

"엄마."

"어, 그래 유진아. 엄마야, 동생들 잘 챙기고........"

"어, 엄마, 걱정하지마."

"................................"

"엄마, 밥 잘 챙겨 드시고요."
"................어, 그래, 잘 지내고 있어. 엄마가 너 5학년 되면 데리러 올게."
5학년이다. 당시 3학년이었던 나에게 5학년이면 데리러 오겠다고 했다. 내 기억상으로는 그렇다. 막막하기 짝이 없었지만, 엄마가 돌아오지 않기를 바랬다.

기억이 끊겼다. 엄마가 어떻게 다시 집으로 돌아왔는지는 떠오르지 않는다. 충격적인 일이어서 의도적으로 머릿속에서 지운 것일 수도 있겠다는 생각이 든다. 3살 때 잔잔한 기억도 생각해내는 기억력이 그때의 일을 기억하지 못할 리는 없을 테니 말이다.

엄마는 그때 나갔어야 했다.
엄마는 자신의 인생을 살았어야 했다.
아까운 우리 엄마는 그렇게 자신의 삶을 포기하고 세 아이를 보듬으러 희생하러 다시 돌아왔다.

그 이후로도 유별난 시어머니, 한량 기질을 물려받은 아버지와 함께 한 결혼 생활은 녹녹지 않았다. 아버지가 돌아가시고 비로소 찾아온 평화가, 그것이 외로움을 가장하고 그래도 그때가 좋았다는 추억으로 남게 해주는 건 헛웃음이 나오는 코미디다. 인생이 그래서 코미디다.

억척으로 살게 해줘서 고마워요.

비가 추적추적 내린다. 오늘따라 유난히도 동생은 자지 않는다. 태어난 지 몇 개월 되지 않은 어린 동생을 잘 보라고 하고는 엄마는 아침 일찍 일을 나갔다. 밖에서 부르는 소리가 들린다.
"유진아, 유치원 가자." 미닫이문을 열고 나가보니, 같은 유치원 친구가 서 있다.
"나 동생 봐야 해."
"너 며칠 동안 안 와서, 친구들이 기다려. 오늘은 가자. 동생은 잠깐 집에 두고."
"아... 안 되는데..."
"잠깐만이라도 갔다 오자."
"그래, 그럼 잠깐은 괜찮겠지?" 동생이 드디어 잠들었다.
잠든 동생을 두고, 방을 나선다. 우산을 찾아보니 없다. 비는 내리는데 어떻게 가지 싶어 주변을 두리번거리니 신문이 보인다. 신문을 뒤집어쓰고 달리기 시작한다. 절반쯤 갔을까. 동생이 생각나서 가던 길을 멈췄다.
"지연아, 나 그냥 돌아갈게."
"어? 거의 다 왔는데."
"어, 동생 때문에 안 되겠어. 미안해. 다음에 갈게." 집으로 돌아오니 동생은 세상 모르고 잠들어 있다.
'다행이다. 깨기 전에 와서. 미안해, 동생아.'
끝내 등대가 있던 초등학교 내 병설 유치원을 졸업하지 못했다. 세 아이 데리고 먹고 사느라 바쁜 엄마에게 일찌감치 철든 큰딸은 조르지 않았다. 그저 괜찮다고 했다.

학교를 가기 위해서는 하얗고 높은 등대 앞을 지나야 한다. 등대가 있어서 내가 사는 동네도 그냥 '등대'라고 불렸다. 어린 기억에 등대는 나의 아지트이자 놀이터였다. 꼭대기까지 올라가 본 적은 없지만 그곳은 아이들이 뛰어놀기 충분한 너른 마당이 있었다. 늦은 시간에 등대 앞을 지나가 본 적은 없다. 너무 어린 나이여서 그랬을 것이다.

먼바다를 훤히 비춰주는 기다란 불빛을 보았다면, 등대는 단순한 놀이터가 아닌 조금 더 아름다운 공간으로 기억되었을 것이다.
바다의 등불, 등대는 실상 바로 아래에 있는 마을 사람들의 삶을 환하게 비춰주지 못한다. '등잔 밑이 어둡다'는 말은 괜히 나온 게 아니다. 등대의 불빛에 대한 기억이 없는 것을 보면 확실히 등댓불의 영역은 우리 동네가 아니었다. 그저 나에게는 놀이터와 같은 마당이 있는 길쭉하고 요상하게 생긴 바다색에 어울리는 하얀 집이었다. 초등학교 2학년 여름방학 때까지 그곳 등대에서 생활했다. 기억을 더듬어 보면, 4~5살 때쯤까지 항구 가까이에 살다가 산꼭대기 등대로 올라간 것 같다.

4, 5살 때의 기억이 어렴풋이 나는데, 유난히도 빨간색 대문이 또렷하게 남아 있다. 그리고 대청마루, 그리고 한 지붕 아래 많은

사람들. 빨간 대문 안에 사는 사람은 우리 가족만이 아니었다. 주인집 딸아이와 매일같이 '집주인이 누구냐'를 가리며 싸움질을 하다가, 결국은 이사를 가게 되었다고 한다. 하는 수 없이 쫓겨난 것일지도 모른다.

아버지는 결혼하고 신혼집을 할머니 댁 근처로 잡았다. 어린 형제들과 어머니의 등살에 못이겨, 야반도주하듯 만 원짜리 달랑 한 장 들고 아내와 딸을 데리고 강원도 바닷가 낯선 마을까지 올라왔다. 친인척 한 명 없는 그곳에서 당장 할 수 있는 일은 바다와 관계된 일이었다. 해양고등학교 교사로 재직했던 이력과 기계를 잘 다루던 아빠의 실력으로, 얼마 일하지 않고 바로 기관장 자리를 맡을 수 있었다고 한다. 그리고 어린 기억 속의 아빠는 몇 달, 혹은 1년에 한 번 나타나는 존재로 남게 되었다. 기억의 빈자리는 늘 엄마가 함께 하는 모습만이 남았다.

이사 온 등대의 집은 항구 근처의 단칸방보다 조금 더 컸다. 4, 5살 때 이사 온 후로 초등학교 2학년 때 시내의 아파트로 이사갈 때까지, 산 아래의 마을에 내려간 기억이 없다. 기껏해야 아버지를 맞으러 항구에 나간 정도다.

등대의 언덕배기 집에서 아랫마을과 바다를 내려다보며 어린 시절을 보냈다. 가끔 집을 찾아오는 손님들은 단숨에 올라오지 못했다. 쉬기를 여러 번, 숨 고르기를 두어 번 해야 집에 도달했다. 아래에서 올라오는 사람들의 정수리만 보다가 몇십 분이 지나면 비로소 정면 얼굴을 볼 수 있었다.

기억상으로는 집에서 학교까지 꽤나 멀었다. 가는 길에 소도 보고, 등대에서 잠시 머물러 쉬었다 가고, 네잎 클로버도 찾고, 한 지붕 아래에 살던 또래들과 히히낙낙하며 한참을 걸어갔던 것 같다. 엄마는 어린 나이여서 짧은 다리로 걸으니 먼 거리로 기억될 것이라고 했다. 사실 그렇게 먼 거리는 아니라고.

기억을 더듬어 20대 후반에 어릴 적 살던 집을 찾아 올라간 적이 있다. 이승기씨가 나오는 드라마 한 편의 영향으로 그곳은 더이상 못사는 동네의 이미지가 아니었다. 전국에서 온 관광객들이 여기저기서 V를 그리며 사진을 찍기 바빴고, 하얀색과 파란색 페인트칠이 된 층층이 집들은 그리스의 어느 마을을 연상케 했다.
어릴 적 기억의 초라하고, 더부살이에 지친 얼굴로 사는 사람들이 모여있는 그런 등대는 아니었다.

등대에서의 기억은 엄마에게는 가난을 상징한다. 그곳에서 치열하게 살아온 이야기는 엄마에게는 지우고 싶은 기억일지도 모른다. 어린 셋 자식을 두고 아버지는 오징어 원양어선을, 젊은 엄마는 한번도 해본 적 없는 명태 배 따는 일을 하러 다녔다. 배를 따고 남은 곤지며 창자를 얻어와 찌개를 끓여 끼니를 해결하기도 했다. 가난한 집이었는데도 큰딸인 나는 매우 당당했으며, 그늘진 모습 하나 없이 골목을 누비며 대장 노릇을 하는 아이였다.
"유진이 엄마~~~~, 좀 나와봐요."

그는 없다 못해 너무나도 해맑은 큰딸이 누군가를 또 괴롭힌 것으로 생각해, 이웃 엄마들이 부를 때마다 엄마는 노심초사다.

가난은 어린아이도 빨리 어른이 되도록 만들었다.
언제부터인지 기억하지 못하지만, 확실한 것은 인간은 적응의 동물이라는 것이다. 엄마가 막내동생을 낳은 그 날 이후 철부지 개구쟁이 6살은 어른이 되었다. 그때의 6살은 지금 우리 집 막둥이와 같은 나이이다. 이제야 스스로 해내는 일들이 하나씩 늘고 있는 그런 나이다. 나의 6살은 어린아이의 모습이 아니었다. 언제 배웠는지도 모르게 갓난아기에게 우유를 먹이고 어부바를 해서 낮잠을 재우고, 우는 아기에게 노래도 불러주었다. 아기를 어린아이에게 맡기고 일 나간 엄마는 얼마나 불안하셨을까? 초등 고학년 아이들에게 6살 동생을 맡기고 나올 때도 조마조마한 마음을 떨쳐낼 수 없어, 30분에 한 번씩 전화하는데 말이다.

새벽녘 어둠 속에서 주섬주섬 옷을 입고 나가는 엄마의 실루엣은 어른아이의 하루를 시작해야 한다는 것을 알게 해주었다.
두려웠을 것이다. 아마도.
엄마의 빈자리와 두 동생도 지켜야 하는 마음이.
그때, 내가 버틸 수 있었던 것은 단 한 가지였다.
일을 마치고 들어오는 엄마 손에 들려 있던 달콤한 간식.
콩국도넛. 어른이 되어서 안산역 근처에서 다시 보게 된 콩국은 옛 기억을 한 번에 몰고 왔다. 완전히 잊고 있던 등대의 기억. 따끈하고 구수한 콩국물에 쫄깃한 찹쌀빵이 녹아있던 그 음식은 엄마의 기다림에 대한 보상이었다. 따끈한 국물은 두려웠던 마음을 일순간에 물러나게 했다.

엄마는 등대를 벗어나기로 결심했다. 9살이 되던 해, 우리는 등대를 떠나 아파트에서 살게 되었다. 말이 아파트지 30세대도 채 되지 않는 연립주택 정도다. 한 지붕 아래에 여러 채가 있는 것은 등대의 생활과 비슷하지만, 단단한 철문으로 집마다 자신의 공간이 철저하게 분리되어 있다는 것은 예전의 셋방과는 다르다. 같은 툇마루에 미닫이문으로 옆집을 나누던 그 집과는 확실히 차이가 있었다.

엄마가 등대에서 벗어나기로 결심한 것은 사소한 일에서 시작되었다. 가난한 환경에서 받는 무시는 사람을 더욱 강하게 만들고, 목표를 갖게 한다. 목표는 사람을 동기부여하는 힘이 있다.
어느 날, 엄마는 아래 집에 어떤 일로 가야 했고, 나도 따라갔다. 아래 집 문을 열어보니, 아래층 아주머니가 빠른 손동작으로 이불로 무언가를 덮는 것을 발견했다. 눈치 없는 딸은 "엄마, 통닭 냄새 나."라고 말했고, 엄마도 이미 이불 속의 '그 무언가'가 통닭이라는 것을 알아차렸다. 엄마는 빨리 일을 처리하고 집으로 돌아왔다. 그 이후로, 그 순간부터 등대라는 가난에서 벗어나기로 굳게 마음먹었다고 한다.
"꼭 잘 살 거다." 엄마는 통닭이 그녀에게 목표를 제시한 순간으로 기억한다. 아직까지도 엄마는 말한다. 먹는 것에 받은 상처는 오래

간다고. 특히나 내 자식들이 겪는 서러움은 가슴 속 깊이 남는다고 하신다. 먹는 걸로 그러면 안 된다는 말을 지금도 수없이 하신다.

엄마는 항상 후덕하고 인심이 좋은 아줌마로 기억되었지만, 강한 면모도 있었다. 그녀는 마음먹은 일은 반드시 이루는 강인한 여성이었다. 그 덕분에 우리는 4년 만에 세 방과 화장실 하나가 있는 아파트를 소유하게 되었다.

엄마는 가난에 대한 무시를 받을 때마다 새로운 목표를 설정했다. 그리고 그 목표들을 조용히 하나씩 이루어냈다. 나중에는 그 경험들에 대해 이야기했다. "그때 그런 일이 있었다. 그래서 이렇게 하려고 했지." 지금 생각해 보면, 엄마는 모든 것을 계획했던 것 같다.

어려운 상황에서도 절대 꿈을 포기하지 않았던 젊은 엄마의 날들은 찬란했다. 그런 기회를 준 것에 대해 감사하다.

통닭의 기억은 엄마에게 오래 남았나 보다. 아파트를 구입한 이후 엄마가 시작한 사업은 프랜차이즈 치킨집이었다. 치킨집 사장이 된 엄마는 세 딸에게 가장 먼저 해준 것이 "1인 1닭"이었다. 딸들에게 실컷 먹으라며 치킨 세 마리를 튀겼다. 아이들에게 원 없이 먹게 해주던 그때의 엄마의 마음이 어땠을지 잠시 상상해본다. 흐뭇하게 웃고 계셨던 그 모습도 잔상으로 남아 있다.

"띵동~~~"

"누구세요?"

"배달왔어요." 찰칵, 아파트 현관문이 열렸다.

"어?" "어....?"

"네가 왜..."

"아..그게..말이지.......우리 아빠 가게야."

문을 열어준 사람은 같은 반 남학생이었다. 그것도 내가 평소에 호감을 가졌던 그 아이였다. 그 집에 치킨 배달을 간 것은 바로 나였다. 초등학교 5학년 때였다. 인구 10만 명도 되지 않는 작은 소도시에서 한 다리 건너면 모두 아는 사람들뿐이었다. 아빠의 치킨집은 초등학교 근방에 있었고, 배달 가는 집마다 아는 사람들이 대부분이었다. 어떤 때는 치킨을 들고 학교 선생님 댁으로 배달 간 적도 있었다.

이 이야기는 90년대의 일이다. 몇 년간 타지에서 떠돌던 아버지가 드디어 육지에 정착하기로 결정했고, 몇 달 뒤에 치킨집을 오픈했다. 아메리카 대륙의 한 나라 이름을 연상시키는 그 브랜드는 당시에 근처 닭집과 어깨를 나란히 하는 인기 브랜드였다. 음식 솜씨가 뛰어난 엄마는 브랜드 회사에서 받은 양념에 자신만의 레시피를 더해 맛있게 치킨을 만들었다. 좁은 동네에서 소문은 빠르게 퍼졌고, 장사는 번창했다. 늘 일손이 부족해서 일찍 하교하거나 주말에는 가게에서 일을 도와야 했다. 기억에 남는 것은 정사각형 냅킨 안에 나무젓가락, 이쑤시개, 그리고 껌 2개를 묶어 치킨 상자에 넣는 작업이었다. 냅킨을 싸고 포장 상자를 접는 일은 나에게 맡겨졌다. 어릴 때부터 손이 빨랐던 나는 박스와 냅킨을 빠르게 처리했다. 치킨 주문 전화가 늘어날수록 나의 기술도 나날이 늘었다.

가게 안에서 소소한 일을 돕던 나는 바빴을 때, 가끔 뛰어갈 정도의 거리에 있는 고객들에게 직접 배달했다. 그렇게 나의 배달은 시작되었다. 작은 마을 안에서 치킨집 딸이 직접 배달하는 것이라는 소문은 빠르게 퍼졌다.

"어차피 소문난 거니까... 나는 창피하지 않을 거야." 이런 생각이 들었고, 그 생각으로 더 적극적으로 홍보를 하기 시작했다. 같은 반 친구들에게 다른 가게의 치킨을 시키다가 걸리지 말라고 으름장을 놓을 정도였다.

소풍 때면 선생님들로부터 주문받은 통닭과 아이들이 함께 먹을 통닭을 들고 나가는 일이 있었다. 부끄러웠을지도 모르지만, 그때부터 나는 보통 아이들과는 다르다는 것을 알았다.

중학생이 되었을 때, 아버지는 자신이 잘하는 일을 하고 싶다고 말했다. 육지에 정착한 후, 두 번째로 시작한 사업은 건자재상이었다. 경험이 없던 아버지는 시행착오를 겪으며 조금씩 자리를 잡아갔다. 억척같던 큰딸은 이번에도 부모님을 도울 방법을 찾았다.

건자재상 일은 도와드릴 만한 일로 보이지 않았다. 수백, 수천 가지 물건의 이름을 외우기 어렵고, 가격도 천차만별이어서 기억하기 어려웠다. 가끔 아버지 대신 가게를 지키거나 시멘트 포대를 옮기는 일을 도왔지만 큰 도움이 되지는 않았다.

'그럼 내가 할 수 있는 일은 뭐지?' 늘 그 궁리를 했던 것 같다. 이유는 한 가지다. 집에 도움이 되는 딸이 되었으면 좋겠다는 생각뿐.

어느 날 학교에 개인 사물함이 들어왔다. 학급마다 학생 개인용 사물함이 생겼다. 개인 사물함에는 교과서와 학교에서 필요한 물건을 보관해야 했기 때문에 자물쇠가 필요했다. 개인적인 물건을 보관하다 보니 학생들이 한두 명씩 자물쇠를 필요로 하기 시작했다. '바로 이거야!' 당시 우리 가게에도 자물쇠를 종류별로 팔고 있다는 것을 떠올렸다. 나는 아이들에게 자물쇠 주문을 받기 시작했다. 그 당시 한 학년에는 300명 가까이 되었고, 자물쇠 주문을 받아보니 꽤 많은 수였다. 학교까지 직접 배달 서비스를 제공하며, 선택의 고민도 줄여주니 친구들은 나를 통해 주문하기 시작했다. 같은 반 친구부터 옆 반, 전체 반까지 주문을 받았다. 그 후로 미술 시간에 필요한 용품, 교실에서 사용하는 청소 도구까지 주문을 받았다.

그러던 어느 날, 여전히 아이들에게 필요한 물건을 주문받고 있는데, 내 옆을 지나가던 친구가 한마디 했다. 한 해 동안 같은 반이었던 주은이다.

"우리 엄마가 너보고 여우같대."

그 친구의 말에 뭐라고 답했는지는 모르겠다. 기억나지 않는다. 분명 아무렇지 않게 받아쳤을 것이다. 그때의 나는 그랬을 거다. 부끄럽지 않았다. 전혀.

엄마를 돕고 싶은 생각뿐이었다. 내가 이렇게라도 하면 조금이나마 도움이 되지 않을까 그 생각만 했다. 어떤 상황에서든 엄마를 도울 수 있는 큰딸이 되고 싶었다. 장사든 가사든 무엇이든 말이다. 아빠 때문에 힘들게만 사는 엄마가 자식 때문에는 힘들지 않았으면 했다. 불쌍하게만 보이는 엄마가 행복해졌음 하는 마음이었다.

남편 없는 여자는 자식이 없다고 했던 말이 맞지 않다는 것을 보여주고 싶었다. 그런 편견을 보기 좋게 비껴나가게 하고 싶었다.

돌아갈 수밖에 없는 이유는 엄마였습니다.

“아버지가 병원에 가셨는데 큰 병원에 가보라고 했대.”

“그래요? 그러면 병원 예약해 둘테니 올라오시라고 하셔요.”

인터넷을 켜고 대장을 잘 본다는 병원 이리저리 검색해 본다.

건국대 병원. 당장 예약이 가능한 곳은 대장과가 아닌 위전문가라 한다. 급하니 어쩔 수 없었다. MRI와 CT를 찍어두고 아버지는 다시 강원도로 내려가셨다.

며칠 있다가 결과가 나오니 그건 혼자서 듣고 오겠다고 했다. 그때 당시 별일 아닐 거라고 생각했기에 결과가 나오는 날은 혼자 36주의 만삭의 몸으로 갔다. 결과만 듣고 잘 돌아오면 되니깐.

"4기셔요. 앞으로 잘 해봐야 3개월 남으셨습니다."
무표정한 얼굴로 눈도 마주치지 않고 말하는 의사의 말을 들으며 꿈을 꾸고 있다고 생각했다. 너무나도 아무렇지 않게 말해서다. 감정이 없는 사람처럼 입만 움직이고 있었다.
"뭐라고요? 선생님?"
재차 물었다.
"수술도 의미 없고, 항암 치료로 연명을 한다고 해도, 환자가 힘들 거고. 3개월 잘 계시다가 가실 수 있게 해드려야 할 것 같아요."
"그게 무슨 말씀이셔요."
이야기가 끝나고 진료실 방문을 나서고 난 후에 제정신이 들었다. 나도 모르게 바닥에 주저앉고 말았다.

4시간 거리에서 병원을 다니기에는 힘든 상황이었다. 항암 치료를 받은 날은 기력도 없고 입맛도 없는 상태라 곧장 집으로 내려갈 수 없었다. 치료가 있는 날은 전날에 오셨다가 치료를 받고 다시 우리집으로 오셨다. 처음에는 며칠을 그다음에는 몇 달을 그리고는 해를 넘기면서까지 우리집에서 생활하셨다. 이렇게라도 할 수 있음에 감사했다. 병원을 옮기고 그곳에서 수술을 하자는 이야기를 듣고 얼마나 감사했는지 모른다. 치료가 길어졌지만 가족들 모두 아버지를 살리겠다는 마음으로 하나가 되었다. 지칠 만도 한데 엄마는 몸에 좋다는 음식은 모두 해드리고, 아프다고 하던 다리도 밤새 주물러 주시고, 젊은 시절의 기억은 모두 잊은 사람처럼 지극정성이다.

3개월 남았다고 하던 아버지는 그렇게 5년을 더 사시고 가셨다.
남겨진 엄마는 세상을 모두 잃은 것처럼 헤어나오기 힘들어하셨다.
미운 정도 정인가보다. 육지에 정착한 이후에는 떨어져 지내보지 않아서인지 엄마도 아버지에게 많이 의지하며 살았나 보다.
아버지가 돌아가신 지 10년 가까이 되는 지금도 여전히 힘들어 하신다. 가끔 꿈에라도 나타나시면 그렇게 마음 아파하신다.

아버지가 가시고 나에게도 아이가 한 명 더 생겼다. 생전 할아버지 얼굴도 못 본 아이는 아버지와 똑같이 생겼다. 엄마의 그리움이 닿은 것은 아닐까라는 생각이 들 정도로 아이는 생김새며 하는 행동까지 아버지와 너무나도 닮았다. 엄마는 아버지가 보내주신 선물로 여기신다.

아버지가 돌아가신 이후부터 엄마와 함께 생활하게 되었다. 잠시 동안 동생 집에서 조카들을 봐주시느라 1년 정도 그곳에서 지낸 것을 빼고는 7년이 넘는 시간을 함께 했다. 막내가 태어난 이후로는 엄마는 우리 집에서 지낼 정당한 이유가 생긴 것이다. 결혼 후에도 일을 쉬어본 적 없는 나는 막내를 출산하는 12시간 전까지 일하고 출산하고도 2주 만에 복귀했다. 갓난아기는 자연스레 그때부터 할머니 손에 자랐다. 할머니에게 그 아이는 앞으로의 삶의 전부다.

엄마와 함께 지낸 이후로 알게 모르게 스트레스를 많이 받았다.

20살 독립하기 전까지 함께 살던 엄마의 모습은 온데간데없다. 불쌍하게만 여겨지던 엄마는 잔소리에 억척만 남은 할머니의 모습이다. 내가 변한 건지 엄마가 변한 건지는 모르겠다. '엄마'하면 애틋한 만이 떠오르던 그때와는 다르다. 잠시나마 엄마의 그늘을 피하고 싶어 일찌감치 출근하기도 한다. 사사건건 그냥 넘어가는 법이 없는 엄마와 함께 있으면 신경 쓸 일이 많아 지친다.

엄마의 이런 성격을 진즉에 파악한 남편도 가끔은 자신도 모르게 미간을 찌푸린다. 순간적인 표정 변화는 나만이 안다. 삶의 모습은 엄마와의 생활 이후 조금씩 달라지기 시작했다. 나와 가족만 생각하면 되던 것이 엄마를 포함해서 생각해야 하는 것이 많아지니 무엇을 하려고 하기 보다는 무엇을 포기해야하는가가 먼저 떠오른다.

먼저 깨끗한 집을 포기했다. 소유욕이 강한 엄마는 늘 물건으로 헛헛함을 채워 넣는다. 아버지가 돌아가신 이후, 더 심해지셨다. 사람으로 채울 수 없는 감정을 물건에 이입시켜 본다. 관심사도 방대해서 그릇부터 인테리어 소품까지 뚜렷한 취향을 알 수 없을 정도로 다양하다. 엄마의 집은 물론이고 우리집, 동생의 집 곳곳에 엄마의 물건으로 가득하다. 이런 모습은 엄마도 결혼 이후에 생긴 것 같다.

둘째, 아이들 교육을 포기했다. 엄마의 개입이 너무 심해서 소신껏 하기가 힘들다. 막내의 경우 특히나 더 심하다. 갓난이 때부터 키웠기에 막내는 자신의 자식이라고 여길 정도다. 아이의 교육에 엄마가 먼저 나선다. 이 부분 때문에 가끔은 남편과 마찰이 생기기도 한다.

셋째, 내 정신 건강을 포기했다. 말하기를 좋아하는 엄마는 잠시도 쉬지 않고 이야기 할 수 있다. 일에 지쳐 돌아온 날에도 나의 얼굴을 순간부터 잠들기 직전까지 쉴 새 없이 말씀하신다. 그것도 매우 부정적인 언어로. 나는 태어난 순간부터 긍정적으로 살아갈 수 없는 환경이었음에도 배움을 통해 긍정형 인간으로 변해가는 중이다. 매우 잘 만들어왔던 나의 세계는 엄마와의 생활 이후로 조금씩 무너지고 있다. 부정적인 생각이 꿈틀거리고 올라오고 있을 때는 소스라치게 놀란다. 영향을 받고 있었던 것이다.

그럼에도 불구하고,
다시 돌아올 수 없는 이유는 항상 엄마였다.
엄마가 살아온 삶을 잘 아는 나는 엄마를 두고 떠날 수가 없다. 엄마를 모른 척 내버려 둘 수가 없다. 일본으로 유학갔을 때도 이곳에서 더 공부를 해보면 좋겠다는 교수님의 추천에도 결국은 엄마의 얼굴이 떠올라 한국행 비행기를 타고 돌아왔다. 이유는 알 수 없다. 그저, 엄마는 큰딸이 내가 함께 있어야 한다고 생각했다.

남편과 마찰이 있어 헤어지고 싶다는 생각을 했을 때도 엄마 때문에 그럴 수 없었다. 엄마도 버리고 남편도 버리고 싶다는 생각도 했다. 혼자 도망가 버리는 꿈도 꾸었다. 지칠 대로 지쳐 쓰려져 자고 일어나면 그때의 감정은 사라지고, 그래도, 다시, 엄마다.

엄마의 삶을 이해하며 그녀를 온전히 받아들이는 것이 나의 책임이라고 느낀다. 엄마가 가진 물건들에 대한 집착, 아이들 교육에 대한 과도한 개입, 그리고 끊임없이 부정적인 말들 사이에서도 나는 엄마의 사랑과 보살핌을 느낄 수 있다. 그것이 나름대로 자신만의 사랑법일 것이다. 그래서 '인정'하기로 했다.

시간이 지나면서, 나는 엄마를 다시 생각해 보기로 했다. 엄마를 객관적으로 보기 시작했다. 감정과 생각을 더 깊이 이해해보려 노력했다. 이 과정에서 나는 엄마가 겪었던 삶의 어려움과 아픔을 더 잘 이해하게 되었다. 엄마와 관련된 글을 쓰기 시작하면서부터 더욱 인정하게 되었다. 이렇게 살 수밖에 없는 그녀의 삶을 말이다.
엄마와의 관계에서 나의 경계를 설정하는 법을 배웠다. 나의 정신 건강을 스스로 다독이고 챙기는 방법도 공부 중이다. 이러한 작은 노력들이 엄마와 가족들 사이에 가족이라는 이름으로 같이 살아가야 할 이유를 찾아 줄 것이다.

다시 돌아올 수밖에 없는 이유는 엄마였다. 늘 언제나 그랬듯이 지금도 마찬가지다. 이해할 수 없는 행동도 많지만 인정할 수밖에 없는 선택을 하는 건, 엄마의 사랑과 희생이 있다는 것을 기억하기 때문이다. 엄마의 모든 행동은 사랑이다.
그걸 엄마가 되고서야 알았다.

엄마를 닮고 싶지 않았습니다

인선민

엄마를 닮고 싶지 않았습니다.

인선민

프롤로그

전화벨이 울린다. 전화기엔 '엄마'라는 글자가 뜨고 글자를 바라보는 나의 행동은 빠른듯 느려진다. 벨소리를 듣자마자 재빠르게 휴대폰을 들었지만 바로 받지 못한다. 큰 호흡으로 숨을 가다듬고 나서야, "여보세요~"

휴대폰 연락처에 등록되어 있는 이름들은 각각의 상대에 대한 감정을 동시에 품는다. 보통은 '사랑스런 00' '너무 예쁜 00' '내 사랑 00' 정도로 애정을 표시하기도 한다. 딸이나 여동생, 아들에게는 이런 표현을 넣어 저장해놓았다. 휴대폰 사용을 한 이후 단 한 번도 어떤 말도 덧붙여 저장해본 적이 없는 대상이 바로 '엄마'다.

자식이 잘못되고 힘들기를 바라는 부모는 없다. 엄마도 분명 그런 의도는 없었을 것이다. 그저 몰랐을 것이다. 누구도 그녀에게 엄마란 어떻게 해야한다고 가르쳐주지 않았으니 얼마나 막막했을까 싶기도 하다. 그러니 측은한 마음으로 바라보자고 마음을 다독여 본다.

그녀 나이 일흔여덟. 곧 팔순을 앞두고 혼자가 되었다. 30년간 함께 사신 새아버지를 코로나로 잃으셨다. 예측할 수 없는 일들로 가득한 것이 인생이다. 21년도에 아들을 잃고, 새아버지가 코로나로 병원에 입원하시면서 한치 앞도 모르는 것이 인생이라는 것을 호되게 겪었다. 예측도 할 수 없고 어떻게 흘러갈지도 전혀 알 수 없는 삶. 팔순이 되기 전에 혼자되실 거라고는 예상치 못했다. 그런 와중에도 여전히 누려야 할 것은 빠짐없이 누리려는 욕심을 보이는 엄마는 여전히 벅차다. '그래 울 엄마가 그렇지 뭐'. 달라지지 않는 모습에 한 걸음 물러나면서 '역시 여전히 힘들다.' 라며 체념하고 만다.

어설프게 엄마가 된 내가 겪어온 '엄마'의 자리, 15년 만에 가장이 되어 '나의 엄마'와 비슷한 길을 걷게 되었다. 차라리 친엄마가 있는거라면 좋았겠다고 생각했던 적도 있었던 시간들을 뒤로하고, 언제쯤 마음의 짐을 내려놓게 될지, 그러기 위해 얼마나 많은 글을 적어야 할지, 적고 또 적다 보면 덜어 질지 물음표가 가득한 여름을 보냈다. 엄마에 대한 글을 쏟아내던 그 시간엔 전화도 못 하겠고, 행여나 전화가 올까 봐 걱정이 앞서기도 했다. 허나 지금은 예전에 비하면 무척 자연스럽다. 여전히 큰 호흡을 하고 나서 받긴 하지만 말이다.

내 마음속 깊은 곳에 자리하고 있는 상처와 원망을 모두 덜어내고 그 자리에 무엇을 담게 될지, 이 글을 통해 성장해 있을 자신을 상상하며 한 글자 한 글자 적어 본다.

친엄마가 있는 건 아닐까.

"나쁜년, 잘못했다는 한마디를 안하는거봐!"

이른 아침 엄마의 거친 말소리와 함께 옆구리에 통증이 느껴졌고 나는 쪽마루 한 귀퉁이로 고꾸라졌다. 고등학교 2학년 일요일 한바탕 전쟁을 치루고 월요일 등굣길. 마음에 차오르는 억울함, 친구들에게 이야기하기에 부끄러운 마음, 사랑받지 못하고 있다는 상처가 발걸음을 무겁게 했다. 무거운 걸음이지만 뒤도 돌아보지 않고 재빨리 대문을 나선다. 혹여 뒤따라 나올까봐 잔뜩 겁먹은 채로. 허나 맘속은 분노로 가득한 채로. '분명 친엄마가 아닐 거야. 어쩜 저럴 수가 있지.'

학교 친구들의 엄마 이야기를 듣다보면 뭔가 달라도 너무 달랐던 엄마. 친구들과 엄마 이야기를 하다보면 서로 더 심하게 야단맞은 이야기로 배틀이 붙기도 했었다. 한 친구가 말했다. 엄마가 설전을 벌이고 화장실로 들어가는데 마침 맞바람이 불고 있었고, 의도하지 않았는데 화장실 문이 바람에 그만 '쾅'하고 닫혔단다. 그랬더니 엄마가 화장실 문을 활짝 열어젖히고는 "이게 어디서 신경질이야!"하시며 물바가지를 번쩍 들어 친구의 머리통을 내려 쳤다고 했다. 물바가지는 바로 박살이 났고, 친구는 눈물이 핑 돌았지만 티도 못내고, 기어들어가는 말로 이렇게 말했단다. "신경질 낸 거 아닌데, 바람이 문을 닫았단 말이야." 친구 이야기에 아이들은 박장대소했고, 너도나도 의도치 않게 바람이 문을 닫아 혼이 난 에피소드들을 쏟아냈다. 그리고 다들 엄마들은 정말 너무한다며 속상하다는 이야기로, 머리통을 맞은 친구는 안쓰러운 주인공이 되었다. 거기서 나는 내 이야기를 할 수가 없었다. 엄마에게 머리를 뜯기고 책을 찢기고 온 몸을 두드려 맞는다고. 머리통을 물바가지로 맞는 정도는 별거 아니라고 말하지 못했다.

우리 집은 밥을 먹고 나서는 항상 내가 밥상을 치워야 했고, 설거지도 내 몫이었으며 연탄불을 가는 것도, 빨래를 걷고, 방을 쓸고 닦는 것도 시간 맞춰 해야했다. 집안일이 제대로 되어있지 않으면 늘 거친 말투와 짜증스러운 말을 들어야 했다. 그런 탓에 중학교 때까지만 해도 하교 후 친구들과 수다를 떨며 놀고 싶은 시간들도 집안일을 해놓지 않으면 야단을 맞았기 때문에 서둘러 집을 향해 빠른 걸음을 옮겼다. 야단맞기는 죽기보다 싫었으니까. 나와 함께 놀고 싶어 하던 친구들은 늘 물었다.

"선민아. 오늘도 같이 못 놀아? 엄마한테 오늘만 우리랑 같이 놀다가 들어간다고 허락받고 와. 기다릴게." "알겠어. 집에 가서 물어보고 허락받으면 올게. 놀고 있어."

대답은 했지만 가능성은 희박했다. 하지만 친구들에게 바로 안 된다고 답하고 싶지 않았다. 내 엄마가 다른 친구들의 엄마처럼 따뜻하지도 다정다감하지도 않다는 걸, 집에 가서 밀린 집안일을 해야 한다는 것도, 친구 집에서 놀다 오는 걸 싫어한다는 것도 알리고 싶지 않았다. 그리고 말을 듣지 않을 때 무섭게 매를 든다는 말도 할 수 없었다.

야단맞더라도 엉뚱하게 굴었을 수도 있었을텐데 그렇지 못했다. 반항도 말대꾸도 하지 못했다. 집안일로 야단을 맞을 때면 내가 제대로 못 했기 때문에 사달이 난다고 생각하곤 했다. 그냥 내가 더 잘하면 되겠지 생각했었다. 하지만 그런 시간이 반복되고 내가 중학교 3학년쯤 되면서부터 친구들 엄마와 비교하는 맘이 들기 시작했다. 왜 나는 집안일을 하는데도 늘 야단을 맞아야 하는지, 친구들과 나누는 가족들 이야기는 내 존재를 더욱 부정하게 만드는 것들 뿐이었다. 그러면서 생각이 들기 시작했다.

'내게는 친엄마가 따로 있을 거야. 친엄마라면 저렇게 할 수 없어.'라고.

이런 생각으로 폭풍같은 사춘기를 맞이하며 엄마와 관계는 사납기 그지없었다. 그러니 제대로 된 대화는 당연히 없었다. 매사 엄마와 신경전을 벌이기 일쑤였고, 대학교만 가면 엄마로부터 독립해야겠다고 생각했다. 친구들이 엄마와의 시간을 보낸 이야기를 해주면 그렇게 부러울 수가 없었다. 내게는 왜 그런 엄마가 없는 것인지, 공부에 제대로 집중하지도 못했다. 앞으로 어떻게 살아가야 하는지 걱정과 슬픔에서 벗어나지 못했다. 내게 친엄마가 따로 있어야만 했다.

그로부터 35년이 지났다. 며칠 전에도 엄마를 뵙고 왔다. 총각김치를 조금 담았는데 가져가겠느냐는 전화가 엊그제 왔었다. 여전히 음식솜씨는 너무 좋은 엄마는 맛있는 김치를 담가주고 마른 반찬을 조금씩 해놓고 우리가 가면 챙겨주느라 바쁘다. 국물이 없어도 밥 먹는 데 불편함이 없고, 국을 먹을 때는 건더기만 건져 먹으며, 작은 체구에 동그란 얼굴, 허리가 짧고 골반이 작은 몸까지도 닮았다. 친엄마가 분명 어딘가에 살고 있을 거라던 나와 사는 모습도 닮은 사람이 바로 엄마다. 가끔 내가 겪었던 에피소드를 딸에게 이야기 해줄 때면 딸아이는 아주 당연하다는 듯이 말한다. "엄마, 지금 할머니가 이야기하는 줄 알았어. 너무 똑같아."라고. 그렇다. 내게 친엄마는 따로 있지 않았다. 엄마는 단 한 사람뿐이다.

타고난 성향이 나와 잘 맞지 않지만, 고단한 삶을 살았던 엄마가 요즘 들어 조금 다르게 보인다. 삶이 너무 팍팍했으며, 자식에게 어떻게 해야 하는지 알려주는 사람이 아무도 없었기에, 무지했기에 그럴 수밖에 없었을 것이라 조금은 이해되기 시작했다. 지난 여름밤의 뜨거운 열기 속에서 치열하게 과거의 엄마를 만났다. 글로 쓰고 또 쓰며 '과거를 써버리고 싶다'며 불편한 마음을 마주했고, 품고 있던 상처의 끈을 서서히 놓아줄 수 있었다.

어제 엄마의 곱은 손가락을 마주하며 그녀가 어떤 삶을 살아왔는지 떠올려 보았다. 그녀가 차마 이야기하지 못했을(그동안 수없이 들었던 이야기가 아닌) 이야기가 있을지 모르겠다. 언젠가 기회가 된다면 꼭 한번 이야기 나눠보고 싶은 마음도 들었다. 일흔여덟인 엄마가 지금처럼 건강하고 씩씩하게 살아주시길 바라는 마음이었다. 엄마에 대한 무거웠던 마음이 조금씩 가벼워지며 엄마와 닮아 있는 내 모습도 웃으며 받아들이고 있다. 그렇다. 내겐 친엄마가 따로 있지 않았다.

비슷한 길을 걷게 되고

복잡한 지하철, 부지런히 발걸음을 옮기다가 카톡을 받는다. 1시간 30분 이상의 출근 시간은 조금 더 부지런하게 움직여야 한다.

인천 작전역에서 노원역까지 지하철로 이동하는 출근길. 내 직장은 롯데백화점 노원점의 여성의류 매장이었다. 두 아이를 혼자 키우기로 하고 지난한 결혼생활을 정리하고 생업에 제대로 뛰어든 나는 먼 거리는 겁나지 않았다. 일할 수 있음이 감사할 뿐이었다.

아이들과 많은 시간을 함께하지 못하더라도 괜찮았다. 미안하지만 엄마 아빠의 다투는 모습이나 불성실한 모습을 보여주는 것보다는 훨씬 나은 것이라 생각했다. 그런 마음을 아는 듯이 아이들은 불평 없이 먼 거리를 출퇴근하는 엄마를 안쓰러워했다. 고맙고 다행이라고 생각했다. 엄마의 불성실한 모습과 노력하지 않는 모습을 마주할 때가 많았기 때문에 안쓰럽다고 생각하지 않았다. 그랬기에 내가 더욱더 악착같이 살아갔는지도 모르겠다.

아이들이 혹여라도 내가 품었던 생각처럼 엄마를 못마땅하게 여기거나 싫어하면 어쩌나 걱정하기도 했었다. 쉬는 날에는 최대한 아이들과 살을 맞닿으며 이야기도 나누고 음식도 함께 먹으려고 노력했다. 직장의 특성상 주말은 아이들만 두고 일을 나가야 했다. 주말을 함께 할 수 없는 직장일지라도 아이들 끼니 걱정을 하지 않고 미래가 어느 정도 보장되어 있다면 주말 정도는 포기할 수도 있는 것이라고도 생각했다.

내가 너무도 싫어했던 엄마와 비슷한 길을 걷게 되었지만 절대 같은 모습으로는 살아가지 않으리라 마음먹었다. 그러기 위해서 힘든 일을 마치고 집으로 돌아가는 길엔 그저 감사하는 마음으로, 웃는 얼굴로 아이들을 만나야 한다고 생각했다. 엄마보다는 조금 더 애교스럽게 아이들과 티격태격하며 음식을 함께 만들어 먹으며 지냈다.

먼 거리 출퇴근이었고 늦은 나이에 시작한 여성의류 판매직이었다. 하지만 내가 열심히만 한다면 매장의 매니저도 될 수 있다는 희망적인 이야기를 듣고 시작했고, 지독하게 근무했다. 어깨너머로 재고면 재고, 판매면 판매, 매장에서 익혀야하는 수많은 규칙들을 익혀갔다. 낮은 월급이더라도 배울 것이라고 생각한 일은 모든 감각을 곤두세워 배웠다. 그런 덕분에 1년도 되지 않아 매장 내 서열 둘째가 되었다. 백화점 판매직에서는 매장 매니저 바로 보통 시니어라고도 하는, 곧 매니저를 할 수도 있다는 의미와 매니저가 없을 때는 매장을 책임지고 매출까지도 생각해야 하는 중한 자리에 내가 올라가 있었다. 꿈같은 시간, 감사한 시간들이었다. 초보 둘째 자리에 스카웃되던 날, 나에게 해볼 수 있겠느냐고 면접을 진행하던 매니저님이 내게 했던 말은 지금까지도 잊혀지지 않는다.

"내가 바라는 것은 많지 않아. 그저 너에게 월급을 줄 때, 아깝다는 생각이 들지 않게 해주길 바랄 뿐이다."

"네 그런 마음이 들지 않도록 노력하겠습니다."라고 대답은 했지만 걱정이 되었다. 겨우 일 년여의 경력으로 상사에게 돈의 가치만큼의 실력이 아니라는 평가를 받을까봐 두렵기도 했다. 하지만 '까짓거 해보자', '지금 내입장에서 못할 게 뭐가 있어', '안 시켜준다는 것도 아니고 기회를 준다는데 걱정이나 두려움은 던져버리자.' 했다. 그리고 너무나 다행이었던 것은 아깝다는 생각이 들지 않게 해달라던 매니저님은 모든 일에 그냥 넘어가지 않는 열성적인, 배울점이 많은 매니저였다. 말만 앞서는 매니저가 아니었고, 미래의 내 모습이기도 할 모습이라고도 생각하며 배우며 함께 하는 시간들을 즐겁게 임했다. 그렇게 일년을 보내고 급여를 다시 책정하며 계약을 연장하는 시기가 다가왔다. 평소 잘 지내왔다 하더라도 아깝다는 생각이 들었을지도 모를 일이었기에 긴장했다.

어느 날 오후 매니저님의 "선민아, 이야기 좀 할까?" 하는 부름을 듣고, 매니저님의 눈을 바라보았다. 머쓱하게 눈치를 보며 다가간 나에게 매니저님은 내 손을 덥석 잡고 말했다.

"일 년동안 너무 고생많았어. 네 덕분에 언니근무 경력중 최고 매출도 할 수 있었어. 너무 고맙다. 그런데 원래는 알고 있지? 여기 월급 책정이 은근 짠거.. 그래서.. 내가 준비한 건 이만큼 뿐이야. 더 챙겨주지 못해 미안하고 고맙다. 그리고 나는 네가 나와 앞으로도 함께 해주었으면 좋겠어." 라며 봉투를 건넸다. 봉투에는 파격적인 금액이 들어 있었고, 나는 굳건한 자리매김을 했다. 조금씩 나의 미래가 그려지는 매일매일을 살았다. 아이들 앞에서도 어깨도 폈고 월급이 올랐다고 말해 주며 마음속으로 다짐했다.

'엄마는 너희들의 미래에 걱정거리가 아닌 든든한 언덕 위 나무 같은 사람이 되고 싶어.'

그때는 몰랐다. 이 다짐이 지켜지기가 얼마나 어려운 것인지를.

1년 반 만에 최고 인상의 월급, 그리고 다시 2년 후 나는 작은 매장에 매니저가 되어있었다. 아는 사람 하나 없는 여성의류 판매직 막내에서 4년여 만에 정식 절차를 거쳐 매니저가 되었다. 회사와 백화점의 윗사람들의 전폭적인 지지로. 하지만 나중에서야 알았다. 튼튼하게 쌓아올렸다고 믿었던 나의 승승장구가 결국 독이 되어 나를 주저앉혔다는 것을. 잘 쌓아올렸다고 생각한 속을 더욱 단단하게 채울 깊은 사유가 빠져있었다는 것을 알았다. 급히 먹은 밥은 체할 수밖에 없었다는 것을. 나만의 것이 없었다는 것을.

노력하는 엄마의 모습을 보여주고, 한 계단씩 올라가고 있는 모습을 보여줄 수 있어 다행이라고 생각했다. 사람은 보고 들어 경험한 만큼으로 살아가는 것이기에 조금 더 좋은 모습, 조금 더 발전하는 모습을 아이들에게 보여주고 싶어한다. 별거 없이 작고 또 작은 우물 안 쬐끄마한 개구리 같은 나와는 다르게 살아가주길 바라는 마음이 나를 재촉했는지도 모른다. 부모가 내게 주지 못했던 것들을 나는 주고 싶었다. 풍족한 삶을 살게 해주지는 못하더라도 뒤처지고 무너지는 모습을 보여주고 싶지 않았다. 그것이 내게 무리였음에도.

나를 괴롭히는 나의 어린 시절, 나의 과거가 발목을 잡고 있는 것을 아는데 까지는 너무나도 많은 시간이 걸렸다. 잘 되어가던 일들도 어느 순간 돌아보면 논두렁에 처박혀 있었다. 내가 경험한 삶이 고만고만했기에 내가 살아가는 삶이 이 정도 밖에는 안되는 것인가 자책하는 시간들이 늘어갔다. 겨우 이겨내 한숨 돌리고 나면 다시 제자리. 결국 비슷한 길을 걷게 되었다는 자괴감을 이겨낼 방법을 찾아야만 했다. 조금 더 현명해져야 했다. 방법을 몰라 주춤거리고 있던 내게 동생이 불쑥 내민 책 한 권은 과거에 파묻혀 있던 나를 꺼내주는 지렛대가 되어주었다. 지렛대를 이용해 과거의 나를 만나고, 나를 아프게 했던 엄마를 만나고, 깊은 사유의 시간을 거치며 단단한 미래의 나도 만나게 되었다.

어설프게 엄마가 되고

밋밋한 배를 만져보면서도 은근히 겁이 났다. 몸의 변화가 며칠째 이어지면서 혹시나 하는 생각이 들었지만 워낙 생리가 불규칙했기에 이번에도 지나치나보다 했다. 그렇게 2~3개월이 흘렀다.

그와는 나이 차이가 많이 났다. 사무실에서는 웬만한 한자는 모두 그에게 물어보라고 할 정도로 똑똑한 사람이었다. 알고 보니 야간대학 전자공학과를 다니고 있었다. 말투는 조금 투박했지만 내게 친절했고, 업무상 서로 묻고 도울 일이 많아 자연스럽게 가까워졌고, 일을 도와줬다는 핑계로 내게 저녁을 사겠다는 그와의 시간은 늘어갔다.

20살, 꿈을 잃은 아르바이트생이었던 나는 늘 공부에 미련이 남아 있어 그에게 끌렸다. 어려운 한자를 많이 알고 척척 써 내려가는 필체가 참 좋았고, 나이에 비해 어려 보이는 것도 한몫했다. 가까워지며 내 고민을 이야기하는 시간을 많이 갖게 되었고, 그에게 위로받는 시간이 늘어 갔다. 그와 함께 있으면 많은 걱정을 잊을 수 있었다. 내 삶이 연분홍빛으로 변할 수도 있겠다는 착각에 빠지기도 했다.

몇 달이 지나고 내 몸에 변화가 나타나기 시작했다. 겁이 났지만 병원을 찾아갈 자신은 없었다. 주저하는 사이 시간은 흘러갔다. 그는 결혼 허락을 받아보자고 했다. 그는 우리 집을 찾아왔고, 임신 사실은 숨긴 채 나와 결혼을 하고 싶다고 했다. 엄마는 갑작스런 이야기에 혼란스럽다며 완강히 반대하셨다. 그가 돌아가고 키워놨더니 은혜도 모르고 돈도 없어 보이는 남자한테 시집을 가려고 한다는 말과 함께 크게 화를 냈다. 영화에나 나올 법한 표정과 모습으로 몇 시간 동안 나를 때렸다. 엄마의 반응을 예상못한 건 아니지만 다 큰딸을 때리며 딸의 결혼에 대해 이렇게 말을 하다니 그나마 갖고 있던 정마저도 다 떨어졌다. 그런 마음을 먹으면서도 아무런 대응도 못하고 맞고만 있으니 보다 못한 동생이 울먹이며 말했다.

"왜 그렇게 그냥 맞고만 있어? 그냥 짐 챙겨서 나가. 그냥 도망쳐 언니." 그 말을 듣고도 난 무서웠다. 이대로 나간다면 내가 잘 살 수 있을지. 혹시 그가 나를 받아들이지 않으면 어떻게 될지. 엄마는 아마도 그의 직장에 찾아가서 망신을 줄지도 모르고, 그렇게 되면 그가 나를 끝까지 지켜줄지, 아무런 확신도 없었다. 동생의 말을 듣고 엄마가 잠시 방을 나가 있는 아주 잠시동안 수만 가지 생각을 했지만 단 한 발자국도 움직일 수 없었다.

아이는 아무 문제 없이 쑥쑥 자랐다. 첫 아이여서인지 7개월이 지나서야 배가 조금씩 나오기 시작했다. 그와 함께 병원엘 갔다. 겁이 났다. 온몸이 긴장한 채로 소변검사와 초음파를 했다. 아이를 만나게 될 예정일은 3개월도 채 남지 않았다고 했다. 엄마 몰래 손에 쥔 아기 수첩을 바라보는 내 마음은 기대보다 두려움이 앞섰다. 누워도 잠이 오지 않는 날들이 계속되었다.

그러던 어느 날 안채에 살고 있는 아주머니가 내 모습이 이상하다며 엄마에게 전했고, 그제 서야 나의 임신을 알게 되었다. 엄마는 당장 병원에 가자고 했다. 아이는 지우면 된다고, 세상 챙피하게 이게 도대체 무슨 일이냐고. 나는 이미 7개월이 넘어 병원에 가도 소용없다며 아기 수첩을 꺼내 놓았다. 수첩을 보며 망연자실해 하는 엄마를 보며 오히려 통쾌하다는 생각이 들었고, 늦게 알려져 다행이라는 생각도 했다. 만일 결혼이야기를 꺼냈을 때 알려졌더라면 아이는 빛을 보지 못했을 것이다. 게다가 늘 벗어나고 싶었던 엄마에게서 벗어날 수 없었을 것이다. 뱃속 아이는 나를 살려준

은인 같았다.

3개월 후 딸을 낳았고 백일이 지나서 결혼식을 올렸다. 준비 없이 엄마가 되는 과정은 참 어설프고 힘들었다. 그렇게도 받고 싶던 사랑은 비켜 갔지만 딸에게는 최선을 다해 사랑을 전하는 엄마가 되리라 다짐하며 꼬옥 안았다.

그런 행복을 전해주었던 귀한 딸은 서른이 넘도록 아직 나와 함께 산다. 친구같은 모녀지간으로 서로의 삶을 응원하며 살아가고 있다. 며칠 전 퇴근길에 매운 새우깡이 먹고 싶어 사들고 들어갔는데 딸이 깜짝 놀라며 이미 먹고 있는 똑같은 과자 봉지를 들어 보이며 활짝 웃는다. 제대로 통한 날이었다. 대책도 없이, 준비도 없이 엄마가 됐고, 난 여전히 부족하고 어설픈 엄마다. 하지만 괜찮다. 늘 엄마의 자리에서 단단한 모습으로 딸아이 곁에 있어 주려 노력할 테니까.

선택할 수 있는 게 아니야

부모가 되는 건 어려운 일이었다. 꼬물꼬물 하염없이 자그마한 녀석을 품에 안고 어찌 될까봐 겁이나 손놀림도 함부로 하지도 못하고 매사에 조심스러움이 몸에 스며들게 했다. 임신했을 때를 떠올리면 더욱 어려웠던 기억만 가득하다. 3개월 가까이 입덧을 시작으로 새 생명을 잉태한 티는 곳곳에서 찾을 수 있었다. 울렁거림이 어느 정도 자리 잡기 시작하면 배가 제법 나오고 그때부터는 앉아 있기도, 일어서기도, 눕기도 불편한 부른 배를 움켜쥐고 일상생활을 해나가는 것은 보통의 시간은 아니었다. 두 녀석 모두 입덧이 심했다. 둘째가 조금 더 심해서 임신 초기에는 변기통을 끌어안고 위액까지 토를 하느라 하늘이 노랬다.

입덧이 이렇게도 심하던 건 바로 엄마에게 물려받은 것이기도 했다. '아이참, 뭐 이런 걸 닮았을까.'하며 투덜거리다 지쳐 쓰러졌다. 배가 불러오면서는 자궁후굴로 자궁이 허리를 누르는 탓에 일자로 눕지도 못하고 항상 옆으로만 누워 잤다. 또 혈액순환이 안되는 탓에 종아리 쥐가 자주 났다. 새벽에 자다가 종아리 쥐가 나서 일어나 종아리를 주물러야 하는데 허리가 아프니 이러지도 저러지도 못하고 눈물이 흘렸던 기억도 있다.

첫째 출산 때는 워낙 이른 나이에 낳기도 했고 진통인지도 모르고 혼자 12시간을 참고 병원에서는 6시간 만에 아이를 낳은 것은 엄마가 젊고 건강해서라고 했다. 덕분에 엄청 빠르게 뚝딱 나은 느낌이었다. 둘째는 첫째의 진통을 온몸이 기억했고, 준비하며 낳았지만 출혈이 많았고 혈압이 떨어져 저혈압으로 쓰러져 병원을 잠시 긴장하게 만들기도 했다.

남자가 군대 간 이야기와 여자들이 출산이야기는 밤을 새워 이야기해도 끝이 없다고들 한다. 아마도 사람마다 생김새가 다르듯 모두 다른 과정을 통해 아이를 만나게 되기 때문이 아닐까. 나만의 이야기로 내 곁에 다가와 준 아이들의 삶은 또 어떻게 만들어져 갈지 무척 궁금했다. 나처럼 아픔을 많이 품고 자라지 않기를 바라는 마음이 무척 컸다. 스스럼없이 자유롭게 하고 싶으면 하고 싶다고 당당하게 말할 수 있기를, 좋으면 좋다고 그래서 너무 하고 싶다고 욕심도 낼 수 있는 아이들로 키우고 싶었다. 그렇게 자라기를 기대했다. 그러기 위해서 부모라는 자리가 얼마나 많은 노력과 인고의 시간, 그리고 강한 의지가 필요한지 잘 알고 있었다. 하지만 고뇌하는 시간은 부족했다. 바라고 기대하기만 한다고 이상적 부모가 되는 것을 아닐 텐데 말이다.

직장에서 자리를 잡고 직장인으로의 모습을 갖춰간다고 생각했지만 깨진 독을 채워나가는 것은 무척 버거운 일이었다. 처한 상황에서 가장 괜찮은 선택을 했다며 당당하려 했지만 상황은 만만치 않게 흘러갔다. 둘째는 누나보다는 여리게 태어났다. 다섯 살 때까지만 해도 그런 무법자가 없었다. 투정이 심해 길에서 누워 고집을 피우기도 여러 차례였다. 하지만 내가 직장을 다니기 시작하면서 어린이집을 보냈더니 그 고집이 일 년 만에 사라져버렸다. 아마도 살기 위한 선택이었는지도. 어찌 되었든 길을 함께 걷기가 조마조마했던 녀석의 변신은 직장을 다니는 나에게는 너무나 감사한 변화였다. 그렇게 나를 찾아온 두 아이와 함께 꾸려가는 삶의 시작은 선택하지 않았지만 하루하루 살아가는 모습은 선택할 수 있었다.

결국 닮아가는

걱정스러웠다. 닮아갈까 봐. 하지만 아니라고 강하게 부정해봐도 어쩔 수 없이 닮아가고 있었다. 엄마의 모습과. 그리고 삶이. 외모나 분위기가 닮은 것도 부족했을까. 가장이 되어 자식들을 건사하는 고되고 지난한 삶을 살아가는 모습이 닮아가고 있었다. 고개를 저으며 절대 그리 살지는 않겠노라고 다짐했다. 나는 다르다며 보란 듯이 다르게 살아갈 거라며 엄마의 삶을 부정했다. 그런데 지금 가만히 생각해 보니 내가 놓친 부분이 있었다. 엄마도 여자였고, 누군가에게는 사랑받고 싶었을 것이고, 인간의 가장 기본적인 욕구라는 인정욕구가 작용했을 것이다. 예쁘다 해주고 고맙다고 해주고, 함께 하자고 하는 사람이 그녀 곁에 나타났었다면 당연히 흔들렸을 텐데. 나도 살아보니 사랑받고 싶고, 누군가의 품에 안기고도 싶고, 서로 의지하며 살고 싶어지는 순간들이 있었으면서 왜 엄마는 그런 마음을 품고 살았을 거라 미처 생각하지 못했을까.

이혼을 하고 3~4번의 만남이 있었다. 모두 1년 이상의 만남이었지만 제대로 된 남자상이 없던 나에게 좋은 사람, 좋은 배우자감을 고르는 안목은 더욱 없었다. 스스로에 대한 단단한 믿음이 없었고 착한 여자 콤플렉스에라도 걸린 것처럼 상대에게 뭐든 다 맞춰주는 버릇이 있었다. 다만 내가 해줄 수 있을 만큼 다 퍼주고 이젠 아니다 싶을 때는 내 의견을 정확하게 전달하고 지켜지지 않을 때에는 옐로우카드 두 장, 그리고 레드카드로 퇴장을 나타내듯 관계를 끝냈다. 뭐든 처음이 어려운 법. 사람은 고쳐쓰는 게 아니라는 옛말을 온몸으로 경험하고 싱글로 돌아왔다. 사람은 아무리 겪어봐도 한 눈에는 알 수 없다. 몇 번의 만남으로 얻은 결론이 아무나 만나지 말자였다. 자신이 인정한 것이다. 내가 만난 남자들은 그저 '아무나' 수준이었다는 것을. 그리고 자존감은 바닥으로 곤두박질치고 말았다.

쉽게 미래를 약속하는 사람, 나를 귀하게 여기지 않는 사람, 자기가 나를 구원해주는 것처럼 말하는 사람, 자기가 아니면 나는 아무 의미도 없다는 듯이 말하는 사람. 내가 바랐던 사람은 미래를 함께 그려나가는 사람, 다른 사람을 만났다면 더 귀한 대접을 받았을 거라고 생각해 주는 사람, 자기 자신에게 분에 넘치는 사람, 언제나 한결같은 사람이었다. 하지만 내가 바랐던 사람은 스스로도 되기 어려웠던 사람이었던 것 같다. 그래서 더욱더 그런 사람을 바라고 그려왔을지도 모른다. 누군가에게 그런 대접을 받기를 바라기 전에 내가 그런 사람이 되려고 먼저 노력했어야 했는데 그걸 미쳐

깨닫지 못한 채로 생각 없이 그저 하루하루 살아가는데 급급한 삶을 살았다. 그러니 달라지지 않을 수밖에.

내가 그렇게도 탐탁지 않게 여기고 부정하고 싶었던 엄마의 삶과 내 삶이 다르지 않았다. 가끔은 자식보다 자신의 삶이, 자신의 감정이 더 중요했던 엄마를 보고 자라며 서운했고 서러워했으면서, 나는 절대 그러지 않을 거라고 되뇌였으면서, 정작 내가 살아가는 삶도 별반 다르지 않았던 거였다. 엄마가 나에게 더 다정하고 더 따뜻하게 대해주는 것은 바라지도 않았다. 그저 화내고 불안정한 느낌만이라도 전해주지 않길 바랐던 나는 나의 아이들에게 그렇게 화내지 않고 덜 불안정한 분위기만을 전해주려 노력했고, 조금 더 다정하고 조금 더 따뜻하려 했던 것 같다. 가난을 전해주지 않으면 좋겠다는 생각도 무척 많이 했지만 혼자서는 역부족이었다. 삶이 생각처럼 흐르지 않고 무수한 장애물만 가득한 어떤 게임과도 같다고 느낄 때, 부정적인 생각으로 머릿속이 가득했을 때, 핑계를 찾느라 오히려 바빴을 때를 떠올리면 부끄럽기 그지없다. 혼자의 힘으로 자식들 대학공부 다 시키고 잘 키워준 엄마들이 어디 한둘인가. 내 능력이 그것밖에 안 되는 것을 탓했어야 했다. 부모 탓, 엄마 탓, 환경 탓을 할 게 아니라. 그렇게 엄마와 별반 다르지도 않은 삶을 살게 될 거면서 뭐 그리 잘났다고 탐탁치 않게 여기며 부정했는지 바보같았다는 생각이 들었다.

가끔 딸아이가 나에게 서운하게 할 때가 있다. 그럴 때마다 나는 생각했다. '보여준 게 없으니 서운해도 참아야지. 이게 바로 내가 뿌린 씨인 거지. 딸 보는 앞에서 엄마를 걱정하거나 안쓰러워하거나 하는 마음을 제대로 표현해본 적이 없다. 혹여 딸아이가 내게 그렇게 한다고 한들 내가 무어라 훈계를 할 수 없다.

딸아이의 천성은 나와는 달라 뭔가 아니다 싶으면 어릴 적부터 바로바로 의견을 말했다. 나는 그런 딸아이가 기특하고 자랑스러웠다. 내가 해보지 못한 것은 모두 해보길 바랐고 다행스럽게도 딸아이는 궁금한건 참지 못하고 직접 몸으로 부딪혀 보는 아이였다. 게다가 싫은 것은 절대 하지 않는 고집도 있었다. 바로 내가 바라던 그런 모습이었다. 그런 딸아이는 나에게는 희망이었다. 조리 있게 조목조목 자신의 의견을 말하는 걸 수용하는 일이 힘들 때도 있었지만 참을 수 있었다. 그래야 한다고 생각했다. 나는 엄마에게 꼭 해야하는 말도 제대로 하지 못 한 채 마음에 쌓아놓기만 했다. 그럴 수밖에 없었던 이유는 몇 마디 더 했다가 매 맞기 일쑤였기 때문이었다. 그런 탓에 속으로 쌓이는 말들은 마음속 높은 산을 이루었고 엄마에게로 향하는 마음은 바다만큼 멀었다. 그래서 딸아이를 보며 대리만족을 느끼기도 했다.

엄마의 따뜻함을 배우지 못하고 자란 나와 나에게 작지만 나름의 따뜻함을 전해 받은 딸아이의 삶은 무척 달랐다. 주도적이고 자존감이 높은 사람으로 자라는지 아닌지가 결정되는 것 같았다. 나는 수없이 많은 야단을 맞고 컸기에 자존감이 무척 낮았지만 딸아이는 스스로에 대한 자부심과 뭐든 해보면 된다는 도전의식도 강했다. 내가 이성을 잃고 때리는 매를 맞으며 컸기에 딸아이에게는 화를 최대한 절제하며 감정에 휘둘리지 않는 모습으로 대하려고 노력하며 키웠다. 중심이 바로 선 일관성 있는 부모가 되기 위해 혼자 공부도 했고, 교육에 관련된 책과 강의를 찾아 듣고 보려고 노력했다.

하지만 이런 내 육아는 둘째 아이에게는 잘 통하지 않았다. 아들에게는 강하게 키워야 한다는 말들 때문이기도 했고, 혼자 키우는 아들이라서 그랬는지 모르겠지만 다정함이 부족했다. 남자의 감성을 모르니 어느 부분에서 어떻게 맘이 상하는지도 잘 모르겠다고 느꼈고, 뭔가 물어보면 자세하게 대답하는 딸아이와는 다르게 대충 얼버무리며 괜찮다고 하는 아들이 어려웠다. 그 맘을 헤아리기가 깊은 바닷속 같기만 했다. 중학교 때까지는 마냥 어린아이 같고 몇 마디 말에도 잘 따라주어 귀엽게만 여겼지 그 속을 알려고 큰 노력을 하지 못했다. 누나와 엄마를 잘 챙겨줬고 타고난 심성대로 순하디 순하게만 자라줘서 그저 고맙다 생각했다. 가끔 일요일 생리통이 심한 누나를 위해 동네를 뒤져 문을 연 약국을 찾아 생리통약을 사다가 먹여주곤 했다. 15년 전만 해도 주말 운영하는 약국을 찾는 일은 보통 일이 아니었다. 이리도 다정하고 섬세하게 누나를 챙기던 아들이었다.

아들은 공부하는 것도 좋아했고 성적도 상위권이었다. 엄마의 정성이 더해진다면 상위권을 유지하기 어렵지 않았을 것이었다. 하지만 내가 운영하던 매장의 매출이 떨어지고 형편이 안 좋아지면서 학원도 제대로 보내주지 못했다. 아들은 학원 안 보내줘도 괜찮다고, 혼자 공부해 보겠다고 했다. 나는 그 말을 철석같이 믿으며, 아들과 경쟁하는 친구들의 실력이나 공부환경은 미처 신경 쓰지 못했다. 고등학교 1학년 때만 하더라도 좋은 대학에 입학을 예상하며 담임선생님과 면담을 진행하기도 했던 아들은 경쟁관계 친구들과의 격차를 줄이지 못했고, 결국 예상했던 대학에 진학하지 못했다. 만족스럽지 못한 대학을 진학한 아들은 조금씩 말이 없어져 갔다. 고등학교 때는 그나마 적극적인 모습이 있었는데 더이상 그런 모습을 찾아보기는 어려웠다. 자신에게 실망하며 자꾸만 작아져가는 아들을 바라보는 시간은 힘들었다. 내가 못난 엄마라서 아이가 힘든 상황에 내몰린 것은 아닐까 속이 탔다. 마음을 터놓고 이야기하고 싶었지만 선뜻 입이 떨어지지도 않았고, 아들도 부담스러운지 회피하는 것 같았다. 그래도 엄마인 내가 더 노력했어야 했다.

그때라도 마음을 열고 아들의 이야기를 들어 줬어야 했다. 엄마니까 그랬어야 했다. 누나도 바빠 제대로 이야기 나눌 가족이 없었던 아들은 얼마나 외롭고 지쳐갔을까. 자신이 힘들어진 상황을 이야기할 친구들이 있긴 했겠지만 얼마를 이야기 나눌 수 있었을지. 말하지 못하고 쌓아둔 이야기는 얼마나 많았을지. 삶을 이야기하고 세상을 이야기하며 함께 헤쳐나갈 수 있도록 힘이 되어주는 엄마가 되고 싶었는데, 아들에게 엄마가 필요할 때 단단하게 곁에 있어주지 못했다. 나조차도 중심을 제대로 잡지 못하고 휘청거리고 있었다. 조금만 더 나아지면 이야기 나누자고, 그러니 조금만 버텨주기를 바라며 시간을 차일피일 미루고 있었다. 항상 곁에 있을 줄 알았기에, 조금 소홀해도 괜찮다 생각했다. 나중에 그렇게 커다란 후회로 다가와 가슴을 치며 소리 없는 눈물을 흘리게 될 줄 그때는 미처 알지 못했다.

따뜻한 엄마가 되어주고 싶었다. 아니 되어줄 수 있을 거라 믿었다. 받지 못했지만 나니까 충분히 할 수 있을 거라는 오만함이 있었다. 아들이 떠나고 나서야 아들이 너무나 보고 싶을 때, 이제는 들을 수 없는 아들의 목소리가 너무나 듣고 싶을 때 후회는 더욱 밀려왔다. 내가 조금 더 따뜻한 엄마였었다면, 내가 조금 더 능력 있는 엄마였었다면, 내가 조금 더 아들에게 희생하는 엄마였었다면, 내가 조금 더 빨리 책을 읽고 삶을 제대로 살아갔더라면 그렇게 허망하게 떠나보내지 않았을지 모른다. 지금도 마음 한 켠에 남아 있다.

아들을 낳았던 29년 전 12월의 그 날, 거친 숨을 몰아쉬며 새 생명이 태어나던 그 날, 꿈같이 찾아온 누나와 똑같이 생겼던 아들. 나도 모르게 목이 메어왔던 그 날. 임신한 걸 알고 아이를 낳아야 하나 말아야 하나를 며칠 동안 고민했던 시간이 미안했다. 그걸 아는 건가 싶을 만큼 엄마에게서 떨어지지 못하고 떼를 썼던 아이. 어디를 가도 꼭 엄마 손을 잡아야 했고 애착 이불을 꼭 붙들고 잠드는 아이. 그 모든 행동이 임신 초기 자신을 부정하고 있었던 엄마로부터 받은 불안함에서 기인한 것은 아닐까 노심초사하게 했던 아이다. 직장을 다니기 시작하면서 혼자인 시간이 많아지면서 손톱을 물어뜯었던 아이. 속상해도 티 내지 않고 퇴근하고 돌아온 엄마를 향해 두 손 모아 '다녀오셨어요'를 큰소리로 외쳤던 아이다. 누나 때문에 속상해서 표정이 안 좋아지면 조용히 책상에 앉아 공부했던 아이. 열심히 일해 월급이 조금 오른 후 함께 외식을 나가자고 하니 '엄마 우리 돈 있어?'하며 걱정스럽게 묻던 아이. 엄마가 차려준 밥상 앞에서 언제나 엄지척을 날려주던 아이. 나를 닮아 수학을 너무나 좋아해 수학 경시 대회에서 상을 받아오던 아이. 늦잠꾸러기 누나와는 달리 나처럼 항상 일찍 학교에 등교하던 아이. 꿈꾸던 미래를 향해 어떻게 해야 할지 몰라 애태웠던 아이. 너무 일찍 철이 들어 엄살도 한번 부리지 못하고 늘 덤덤한 척 애썼던 아이. 지쳐 퇴근하고 들어오는 엄마와 누나를 두 팔 벌려 안아주며 어깨를 토닥여 주던 아이. 끝내 하고 싶던 일은 제대로 해보지도 못한 채 마음의 짐을 품고 하늘나라로 떠난 아이. 너무 미안해서 아무 말도 남기지 못하고 떠난 아이. 정말 좋아했던 누나 주려고 밥 1인분을 전기밥솥에 해놓은 것으로 마음을 대신하고 떠난 아이. 퇴근하고 들어온 엄마가 힘들게 설거지 하지 않도록 주방을 깨끗하게 치워놓은 것으로 미안함을 전하며 떠난 아이. 이젠 모든 고민 내려놓고 하늘에서 누나와 엄마의 앞날에 축복만을 내려주는 아이. 파란 하늘만 보면 잊지 말라고 장례식 내내 눈부시게 파란 하늘만 보여준 아이.

아들과 마지막으로 함께 보냈던 여름 어느 날 오후였다. 뭐하다가 그랬는지는 기억에 없지만 갑자기 궁금한 마음에 아들에게 물었다.

"아들은 미래에 뭘 하며 어떻게 살고 싶어?"라고 물었다.

그때는 한참 자기계발서 위주로 책을 읽을 때였기에 아마도 미래를 그리는 책을 읽고 있어서 그랬는지도 모르겠다. 아들은 불쑥 꺼낸 내 질문에 "왜?"라며 고개를 숙였다.

"그냥 궁금해서, 아들이 살고 싶은 미래의 모습은 어떤 모습일까 궁금하네. 말해주라." 내 말을 듣고 아들은 가만히 생각하더니

"난 철없이 살고 싶어. 그냥 철없이."라고 답했다.

답을 듣고 "응? 그게 뭐야. 어떻게 사는 게 철없이 사는 건데?" 라고 내가 물었고, 아들은 "아 몰라, 그냥 그렇다는 거지." 하며 더이상 대꾸를 하지 않았다. 그 말을 들었을 때 속으로는 생각했다. '뭐지 이 녀석은 지금도 철이 없어 보이는데, 언제까지 이렇게 살고 싶다는 건가.'하고 생각했다. 그리고는 묻지도 않는 녀석을 향해

"엄마는 책을 읽고 운동을 하며 책과 함께 살 거야, 나중에는 강의도 하면서. 어때? 괜찮겠지? 엄마 그렇게 살 수 있을 것 같아 보여?"라고 물었다. 그 말에 "응, 엄마는 그렇게 살 수 있을 거 같아. 좋네." 했다. 하지만 얼굴이 그렇게 밝지 않았다. 이 장면이 자꾸 기억나 잊히지 않는다.

장례식 내내 왜 철없이 살고 싶다고 했을까를 수없이 묻고 또

물었다. 그 말의 깊은 의미를 그때는 전혀 생각해 보려고도 하지 않았다. 무슨 엄마가 그랬을까. 엄마라면 아들이 왜 그런 마음을 먹었고, 그런 마음을 먹은 이유가 뭔지, 그렇게 살기 위해서 하고 싶은 일은 뭐가 있는지도 궁금해하며 아들과 더 많은 이야기를 나눴어야지.. 무슨 엄마가 그러냐며 스스로를 나무랐다. 나를 탓하고 핀잔을 주며, 책은 읽어서 뭐 하는 건가 싶었다. 아들과 제대로 된 대화도 나눌 줄 모르면서 무슨 책을 읽고, 누군가에게 용기를 주는 강의를 하고 싶어 하느냐고 자책하는 시간들이 이어졌다.

하지만 생각지도 못한 시간들이 나에게 다가왔다. 책을 통해 위로를 받았고, 책으로 이어진 사람들에게 커다란 사랑과 힘을 얻었다. 태어나서 처음으로 받아본 관심과 따뜻한 말들이 전해왔다. 사람들과 이야기를 나누며 마음속 무거운 무언가가 조금씩 건드려졌다. 작은 연대에서 오는 치유였을까. 그때 사람들과 루이스 헤이의 <치유수업>과 빅터 프랭클의 <죽음의 수용소>를 함께 읽으며 책을 통해 많은 힘을 얻고, 조금씩 가벼워짐을 느꼈다. 아들을 마음 깊은 곳에 품을 수 있게 되었다. 수시로 울컥하던 감정도 이제는 많이 잦아들었다. 해주지 못한 게 너무 많았고, 함께 했으면 좋았을 시간들은 점점 더 많아지고 있는 요즘. 책과 함께 살아가겠노라 아들에게 말했던 그 날, 내게 잘 어울린다고 해주었던 아들이 하늘에서 내려다보고 있다고 생각하니 오히려 책에 더 몰두하게 되었다. 책을 보면 아들이 떠올랐고, 아들을 떠올리면 힘이 났다. 더 잘 읽고 싶었고, 더 깊이 있게 읽으며 더 진한 내음을 풍기는 삶을 살고 싶어졌다.

그렇게 살다가 내 생이 끝나는 어느 날, 아들과 재회하는 그 날이 오면 언제나 그렇듯 엄마에게 엄지척을 날리며 달려와 두 팔 벌려 꼬옥 안아주며 내 어깨를 토닥거려줄 아들에게 미리 말해 본다.

"엄마 아들로 태어나줘서 정말 고마워. 사랑한다 아들. 너의 엄마여서 행복해. 너의 엄지척이 너무 그리웠단다."

엄마로 살게 해준 딸, 아들

"엄마, 나 집을 사야겠어. 집을 살래. 지금이 아니면 안 될 것 같아. 엄마 생각은 어때?" 갑작스런 질문이었다.

"어.. 그래 사야지, 사면 좋지. 그런데 이렇게 갑자기?" 딱히 적당한 답이 떠오르지 않았다. 지금 우리집 상황에 집이라니, 사면 좋지만 가능할까 싶었다. 하지만 늘 뭐든 꽂히면 끝을 보고야 마는 성격의 딸은 가능할지 말지를 따지는 표정이 아니었다. 제법 신중한 표정이었다. 어쩌려고 저러나 싶기도 했다.

작년 가을에도 갑자기 차를 사야겠다고 야단을 피웠다. 생각보다 관리비가 많이 들거라며 반대의사를 계속 밝혔지만 의미가 없었다. 그러더니 생일에 중고차를 떡하니 계약해서 타고 들어왔었다. 입이 떠억 벌어져 할 말이 없었고, 그 행동력에 깜짝 놀랐지만 나름대로는 대책없고 주책도 없는 막무가내 추진력이 좋았다. 그런 딸이 나는 좋았다.

늘 내가 못하는 것을 대신 해주는 것만 같았다. 나중을 생각하며 돈 걱정을 하면 답답하긴 했지만 그래도 뭐든 경험해보는 것이 더 좋겠다 싶었다. 어찌 보면 이런 면은 나를 닮았나 싶기도 하며 예전의 내 모습이 떠올랐다.

10년 전쯤의 나도 중고차를 무턱대고 사서 타고 다닌 적이 있었다. 뭣도 모르고 벌인 일이었다. 중고차에 비용이 너무 많이 들어간다며 새 차로 바꾼 지 딱 6개월 만에 차를 팔아버렸다. 내게는 어울리지 않는 물건이라는 것을, 차를 끌고 다닐 수 있는 형편이 어떤 정도여야 하는지를 제대로 깊이 알게 되고 나서야 '내 차'를 포기했다. 포기해야만 했다. 이런 경험을 딸에게 전했지만 전혀 귀담아 듣지 않았고, 결국 무리한 운영으로 딸의 제정상태는 제법 휘청거렸다. 이모의 긴급 수혈을 받은 지 막 6개월 정도가 지났는데 갑자기 집이라니 될 말인가 싶어 대충 대답을 했던 것이다. 갑자기 무슨 마음으로 저럴까 궁금하기도 했다.

사실 집을 사고 싶은 마음은 누구보다 더 간절한 사람이 나였다. 이혼을 하고 아이들과 살면서 생활비의 가장 큰 부분을 차지했던 것이 '월세'였다. 목돈이 있을 리가 없던 빚쟁이 이혼녀, 두 아이의 엄마가 무슨 돈이 있었겠냐. 20여 년 가까이를 월세로 50~60만원을 부담하며 아깝다는 생각도 많이 했다. 하지만 목돈을 모아야 전세로도 가고, 집을 살 생각도 할 터인데 한두 푼도 아닌 목돈을 빚(전남편이 내 명의로 남긴) 갚으랴 아이들 키우랴 언감생신 꿈도 못 꾸었다. 그저 로또나 되면 좋겠다는 허황된 생각만 하며 살았었다.

나의 어린 시절에도 늘 '월셋방'을 벗어나지 못했다. 집 이야기만 나오면 주눅 들고 서글픈 마음이었다. 나에게 '집'이라는 개념은 안정감이나 따뜻함보다는 고단하고 이기적이고 아픈 것이었다. 가질 수 없고, 늘 약자의 입장에 있어야 하고 '내 것'이 아니라는 정해진 명제 앞에서 늘 작아지는 나였다. 그런 게 '집'인데 갑자기 앞뒤 없이 집을 사자고 하니 속으로 놀라면서 머릿속은 내가 할 수 있는 것은 아무것도 없을 거라는 착잡함만 가득 차올라 기어들어가는 목소리로 말했다.

"그런데 어떻게 집을 사? 그게 가능해?"

"가능하겠지, 아니 가능해!"라며 큰소리를 치는 딸을 바라보니 왠지 정말 그런 일이 일어날지도 모르겠다는 생각이 순간 들기도 했다. 그렇게만 된다면 얼마나 좋겠는가 말이다.

뭐든 끝을 봐야 하는 딸은 그날부터 폭풍 검색에 돌입했다. 워낙 하는 일도 그렇고 배우고 잘하는 것도 컴퓨터와 연관 있는 일을 하기에 뭐 그러려니 했다. 말하는 대로 된다고들 말한다. 나도 그 말을 부정하지 않는다. 그렇다고 당장 우리집을 과연 어떻게 살 수 있을지 머릿속엔 물음표가 백 개쯤 떠다니고 있었다. 혹여라도 집을 산다고 하면 나에게 얼마를 부담하라고 할지 나는 또 어떤 대답을 해야 할지 이런저런 걱정이 앞섰다. 무심하게 대답했지만 머릿속은 뒤죽박죽 많은 생각들이 뒤엉켜 있었다. 그렇게 며칠이 지났다.

그날도 여전히 노트북을 정신없이 두드리며 뭔가를 열심히 보던 딸이 나를 불렀다.

"엄마, 지금 시간 좀 돼? 이야기 좀 하자."

"응, 괜찮아. 책을 읽어야 하긴 하는데 왜? 무슨 일이야?"

"엄마는 내가 집을 산다고 하는데 왜 딱히 이렇다 저렇다 말이 없어?"

"아니, 나는 뭐, 딱히 할 말이 없네."

"왜? 내가 집을 사면 엄마도 좋잖아. 안 그래? 별로야? 싫어?"

"싫기는 왜 싫어. 우리 집이 생기고 평생의 꿈이 이뤄지는데, 다만 엄마가 지금 당장 집을 산다고 하면 돈을 보태거나 대출을 생각해 봐야 할 텐데, 매장 폐업하면서 파산한 지 아직 5년도 안 되었고 하니 자신이 없기도 하네." 라고 말하며 목이 메었다.

야단맞는 것도 아닌데 목소리는 힘이 빠지고 눈앞은 자꾸 흐릿해지고 목이 뻐근해졌다.

"엄마 왜 그래. 내가 집을 사자고 하는 건 엄마 노후도 생각해야 하고, 나 시집가려면 엄마를 편안한 집에서 살게 해주고 나서 결혼하고 싶기 때문이야.. 그래야 엄마 혼자 있어도 내 마음이 놓일 테니까. 안 그래?" 생각도 하지 못한 이야기에 깜짝 놀랐다. 이렇게 많은 생각을 하고 있었다니.

"그리고 지금이야 여기 이사 올 때 사업 때문에 공간이 필요하기도 해서 내가 안방을 썼지만 이제 이사 가면 엄마가 안방을 써야지. 그래야 내가 결혼해서 나와도 방은 그대로 사용할 테니까. 그치? 그리고 엄마는 방을 어떻게 꾸미고 싶어? 집은 어떤 분위기로 하고 싶은지 같이 생각하고 집도 같이 찾아보면 좋겠어. 미래의 엄마가 살 집이니까. 생애 최초 대출받으면 일반 대출보다는 이율이 많이 낮아서 지금 월세 내는 것보다는 더 내겠지만 괜찮을 거야. 엄마가 대출금은 월세 내듯이 낼 수 있잖아. 그럴 수 있지?"

"그렇게만 된다면야 엄마는 월세보다 더 낼 수도 있지. 당연하지."

딸의 속 깊은 이야기를 듣고 고마움이 밀려들었다. 그러니까 이 녀석을 누가 낳았고, 누가 키웠더란 말인가. 나에게 딸이 있어서, 이렇게 신중하고 엄마 걱정을 해주는 딸이 있어서 얼마나 행복한지 말로 다 표현할 수 없었다.

우리 둘은 함께 머리를 맞대고 집을 찾았다. 세상 널린 게 집이고 그중 내 집만 없다고 투덜대던 내가 딸과 함께 인터넷 부동산으로 매물을 찾고 있으니 그렇게 평안할 수가 없었다. 곧 정말로 우리 집이 생길 것만 같았고, 이런 감정이 변하지 않고 영원할 것만 같았다. 그런 마음으로 집을 찾던 중 유난히 눈에 띄는 집이 하나 나타났다. 주변 환경과 집 위치, 그리고 금액도 괜찮아 보이는 집이었다. 지체하지 않고 그다음 날 바로 집을 보러 딸이 출동했다. 나는 주말 근무로 몸이 묶여 있었기에 함께 가지 못해서 조금 아쉬웠다. 하지만 딸은 전날 밤 우리 눈에 띈(그 집은 아들이 하늘나라에서 보내준 집 같다) 집을 보러 발걸음을 옮겼고, 그날로 그 집은 우리 집이 되었다. 직접 가보니 주변 환경과 집 위치도 너무 마음에 들었다고 했다. 다녀오는 길이 너무 좋았다고 했다. 그 말을 전해들은 나는 가보지도 않은 곳인데도 그냥 좋았다. 딸이 좋다니까 나는 더더더 좋았다.

이렇게 좋은 마음 덕분인지 집 잔금도 어찌어찌해서 다 치루고 딸이 진행하는 셀프 인테리어로 공사가 한창이다. 이 글을 쓰고 있는 지금은 아직 이사 전이지만, 책 발간이 결정되고 난 24년 1월엔 이사 완료 되었을 것이다. 그래서 요즘은 설레이는 마음으로 산다.

언제나 나를 살게 하는 사람이 바로 딸이었다. 엄마와의 암흑 같은 시간을 벗어나게 해주었던 딸. 남편과 아이들을 두고 멀리 떠나려고 했을 때 40도 고열의 홍역을 앓아 내 발목을 잡아준 딸.

아들을 잃고 세상을 어찌 살아갈까, 먹먹한 가슴을 어찌할까 싶다가도 형제를 잃은 슬픔은 또 어떠할지, 엄마가 세상 떠나면 홀로 외로워 어찌할까 싶어 떠나보낸 아들만큼이나 애틋한, 나를 살게 해준 딸. 엄마 노후가 걱정되어 영끌로 집을 장만하고 차곡차곡 계획을 세워 단단하게 일어서주는 딸 덕분에 오늘도 나는 살아갈 힘을 얻는다. 함께 계획하고 함께 준비하고 함께 일어나 앞으로 걸어 나가니 감사하고 고마운 마음 가득하다.

딸의 깊은 속을 알게 된 후 내 행동은 예전보다 더 활력이 넘친다. 사랑받고 있다고 느끼기 때문인지도 모르겠다. 딸이 주는 관심과 사랑이 나에게 커다란 힘이 되어 주고 있다.

그래도 엄마 덕이야

말 한마디를 해도 차가운 느낌이 전해지던 엄마였다. 학창시절 친구들에게 전화가 걸려와 엄마가 나를 바꿔주면 항상 들었던 말이 있다.

"선민아 너네 엄마 화났어? 전화 괜히 했나. 지금 통화 괜찮은 거

맞지?"

"아니, 괜찮아. 왜 그래?"

"그냥 너네 엄마 목소리가 좀 무서워서.." 사실 내가 옆에서 들어도 좀 차갑고 무섭긴 했다. 날카롭게 날이 선 말투는 듣는 사람을 늘 위축시켰다. 그래서 벨이 울리면 엄마가 받기 전에 내가 먼저 받으려고 거의 몸을 날리다시피 해서 달려갔지만 늘 엄마보다 한 발 늦었다.

그런 탓에 난 언제나 부드럽고 따뜻하게 말하고 싶어 했다. 마음은 그렇지 않더라도 한마디를 해도 상대가 위축되지 않았으면 했다. 하지만 이런 나의 행동은 엄마에게 칭찬을 들을 수 없었다.

"애가 똑부러지게 말해야지 왜그렇게 답답하게 말을 하니. 그런다고 사람들이 칭찬할 줄 알아. 아니야 그저 우습게 생각하기만 할 뿐이란 말이야."

어떤 상황에서든지 장점을 찾아 진심을 담은 칭찬을 해주기보다 깐깐한 평가와 타인의 눈을 의식하며 엄마 자신도 피곤한 삶을 살았다. 그래서 언제나 너무 먼 거리에 있는 사람이었다.

내가 알고 있는 엄마는 어린 나이에 시집와 부모님의 사랑이 그리웠을 엄마였다. 남편은 아내에게 무관심했고, 며칠에 한 번씩 집에 들렀으며 게다가 바람도 폈다고 했다. 제대로 된 가정생활이 이뤄지지 않았고, 생활비도 제때 가져다주지 않아 가난하게 살았다고도 했다. 나중에 조금씩 생활이 나아지긴 했지만 이미 마음의 상처로 인해 엄마는 아빠와 함께 사는 동안 항상 불만이 가득했다. 부정적인 말로 엄마 자신을 볶아댔고, 불안정한 모습으로 살았다. 그런 가정 분위기는 우리 삼 남매에게도 큰 영향을 끼쳤다. 오빠도 엄마와 무척 힘들게 학창시절을 보냈고, 절대 결혼은 하지 않겠다고 했었다. 자식을 낳고 제대로 책임지지 않는 부모가 될까 봐 걱정스럽다고도 했었다. 그리고 여동생은 늘 엄마 눈치를 보며 눈물짓는 날이 많았다. 이렇게 엄마의 불안함은 거칠게 집안을 휘저어 놓아 가족들을 힘들게 했다.

학창시절의 상처가 오빠에게는 선택적 기억상실로 남아 아무것도 기억나지 않는다고 했다. 가끔 내가 오빠의 모습이 떠올리며 이야기하면,

"너는 별걸 다 기억한다. 나는 아무것도 기억나지 않는데 말이야. 거참." 이라며 고개를 갸우뚱했다. 처음 오빠에게 그런 말을 들었을 때 마음이 너무 아팠다. 얼마나 큰 아픔이었으면 아무것도 기억하고 싶지 않았을까. 하나도 남기지 않고 지워버렸을까 하고 말이다. 여동생 또한 불안정한 마음은 아무리 좋은 상황이 다가와도 가장 최악을 계산하고 대비하며 걱정하며 지내고 있다. 스스로도 알고 있다. 그런 행동이 마음 깊은 곳에 자리한 불안함에서 왔다.

그런 부모를, 엄마를 우리가 선택해서 태어난 것도 아니고, 엄마 역시 우리 셋을 선택해서 낳은 것은 아니다. 엄마도 어쩌다 보니

어린 나이에 결혼을 했고, 엄마가 되었으며, 뜻하지 않게 가난하게 살았다. 가난에 지쳐 시들어갔을 엄마. 가난하게 살았지만 행복하고 웃음꽃이 가득한 집을 바라보며 늘 부러워했지만 알고 보면 그들도 가까이 들여다보면 속 끓고 아픈 시간들이 있었을 것인데 그런 생각은 미처 하지 못했다. 나만, 우리 집만 불행의 연속이었다고 생각했고, 그런 상황을 만든 건 모두 엄마 탓이라고 생각했던 시간들. 나는 피해자고 엄마는 가해자라고 원망했던 시간들을 지나 이제는 모두 사그라들어 잔잔해진 마음을 받아들이고 있다. 엄마도 어쩔 수 없었을 거라고, 힘들었을 거라고. 언제 사라진 지도 모르는 엄마의 젊은 시절을 생각하니 내 마음이 조금 흔들린다,

이제 세월이 이렇게나 흘러 엄마는 곧 팔순이 된다. 결혼을 절대 하지 않겠다던, 제대로 책임지지 않는 부모가 될까 봐 걱정된다던 오빠는 딸 둘에 아들 하나를 낳고 다둥이 아빠로 무척 바쁘게 살아가고 있다. 착하고 생활력 강한 올케를 만나 아주 잘 살고 있고, 엄마도 살뜰하게 챙기는 아들로 살아가고 있다. 늘 걱정만 앞서던 여동생은 엄마를 가장 가까이에서 살갑게 챙기며 불안에 휘둘리지 않기 위해 늘 공부하는 삶을 살며 바삐 지내고 있다.

삼 남매가 각자 자리에서 어긋나지 않고 잘 살아갈 수 있는 원동력은 무엇이 있을까 곰곰이 생각해 보았다. 아마도 그건 아픔을 품은 절절한 결핍이 아니었을까 싶다. 책임지지 못할 거면서 낳았다고 원망했지만 스스로는 그런 사람이 되지 않기 위해 노력했으니까. 결핍이 주는 자극이 우리를 성장하게 하고 멈추지 않도록 해

주었다는 생각이 들었다.

아들을 하늘나라로 먼저 보내고 나서야 깨달았다. 함께 할 수 있다는 것만으로도 충분히 감사해야 한다는 것을. 엄마가 나에게 전해준 것이 부족하다고 느낀다 하더라도 곁에 살아 계심에, 추운 날씨에 건강 조심하라고 전화 통화를 할 수 있음에, 여전히 맛있는 음식을 해주실 수 있는 건강한 모습을 볼 수 있음에 그럴 수밖에 없었을 거라고 생각할 수 있음에 모든 것이 감사하고 고맙다.

내 나이 쉰다섯. 앞으로 살날은 살아온 날보다 짧을 것이다. 엄마의 딸로 55년을 살았고, 딸의 엄마로 35년째 살고 있다. 엄마를 떠올리면 아픔과 애잔함이 전해진다. 너무 미워했던 시간들이 아쉽고 서글프다. 조금 일찍 마음을 열고 엄마를 받아들여 볼 걸 그랬다고, 그랬다면 나도 지금보다 더 빨리 어둠에서 벗어났을 텐데 말이다. 앞으로 살아갈 날들은 이제라도 마음을 조금 더 열고 엄마와 가까이 지낼 수 있길 바라는 마음이다. 내가 키운 딸과 엄마가 키운 딸의 대결은 앞으로 계속될 것이다. 아무도 이긴 사람이 없는 멋진 대결이 되었으면 참 좋겠지만 엄마가 키운 딸이 내가 키운 딸을 이길 수는 없을 것만 같다. 그러면 어떠한가. 결국은 내가 행복하면 될 테니 상관없겠다.

엄마

조연희

엄마

조연희

<오늘도 당신의 안녕을 빈다>

김수진 작가님의 시집은 엄마를 먼저 보낸 제 마음을 잘 표현해 주어 적어봅니다.

보내드릴 수밖에 없는 엄마

처음이자 마지막 병원 생활

2022년 11월 4일. 일상처럼 일하시고 집으로 오는 길이었다. 그런데 그날은 오시던 중에 엄마의 호흡이 힘들어 하는 모습을 집에 내려가 있던 큰오빠가 발견했다. 시골집 근처 의료원으로 급하게 갔지만, 큰 병원으로 가라는 의사선생님의 말에 다시 한번 놀란 가슴을 단단히 부여잡았다. 수원으로 택시 타고 급하게 출발했다. 먼 거리인 줄 알면서도 자식들이 수원근교에 있기에 만약 길어질 수도 있을 거라는 생각에 큰오빠는 동탄에 있는 한림대 성심병원에 오게 했다. 애뜻하게 엄마를 사랑하는 둘째 오빠와 같이 회사에서 급하게 나와 병원 응급실 앞에서 엄마를 기다리고 있었다. 너무나 초조하게 엄마를 기다리면서 나의 머릿속과 마음으로 계속 엄마가 잘 버텨주길 빌고, 또 빌었다.

"괜찮을 거라고, 괜찮을 거라고…"

시간이 더디게 흘러가는 것처럼 기다리는 중에 큰오빠에게 전화가 왔다. 거의 도착했다고~ 우여곡절 끝에 3시간 만에 도착한 엄마. 우린 서둘러 엄마를 만나기 위해 일어나서 밖으로 나가 응급실 앞으로 오는 택시를 알아보았다. 택시에 내려 걷기조차 힘들 정도로 기운을 잃으신 몸을 휠체어에 맡긴 채, 앉으셨다. 힘든 몸으로 오느라 고생한 엄마를 따스이 안아주었다. 울지 않았다. 아니 울 수가 없었다. 딸이 우는 모습을 보면 엄마가 더 가슴 아파할까 봐 울지 않고, 담담히 엄마에게 말을 걸었다.

"엄마 괜찮아? 먼 길 오느라 힘들었지! 잘 견뎌줘서 고마워"

"엄마 우리 보려고 여기까지 왔네."

엄마와 짧은 대화를 하고 검사받기 위해 준비를 진행했다. 엄마는 응급실에 너무 춥다고 하면서 집에 가고 싶다고 했다. 애기가 되어버린 엄마를 따뜻하게 안아주고, 준비해 온 핫팩을 손에 주면서 조금이라도 따뜻한 온기를 가졌으면 한다. 덜 추우라고…

엄마에게는 병원은 낯설기만 하다. 농사를 지으면서도 병원을 가신 적이 손에 꼽을 정도이기 때문이다. 자신의 의지대로 삶을 살아왔기에 지금 당신에게 벌어지는 상황들을 극구 부인하고 싶을 것이다.

하나, 둘 검사가 끝나가고, 괜찮을 거라는 믿음은 잠시 멈추어버렸다. 의사는 엄마의 혈관이 막혀 수술하지 않으면 위험할 수 있다고 말하고, 또 담당 전문의 선생님이 안 계셔서 다른 대형병원으로 옮겨야 한다고 말하는데, 순간 머릿속이 희미해지는 것을 알 수 있었다. 다행히 오빠들이 함께 있었기에 다시 정신을 차리고 단단히 마음을 먹기로 했다.

다시 가야 한다. 서울에 있는 혈관 전문인 세브란스 병원을 소개를 해주어, 엄마를 모시고, 구급차 타고 혹시 모를 상황에 대비에 간호사 한 분도 동행해주셨다. 금요일 저녁은 역시나 차들이 많아서인지 차들이 엄청 더디게 가는 듯했다. 상황에 따라 보는 것과 느껴지는 일상이 달리 보인다. 나는 둘째 오빠와 같이 구급차의 뒤를 따라가는 동안 다시 주문을 외운다. “괜찮을 거라고, 괜찮을 거라고…” 최근의 시골에서 엄마의 모습이 하나, 둘 떠오른다. 자주 누워있고, 드시는 것도 힘들어 하시고, 자식들 걱정할까 봐 괜찮다고 하시는 엄마. ‘얼마나 힘드셨을까?’ 미안한 마음을 떨쳐버릴 수 없었다.

울지 않았다. 아니 울고 싶지 않았다. 아직 아무 일도 없는데, 그냥 엄마의 몸상태를 더 자세히 보기 위해 병원에 온 거라고 생각했다. 생각을 하는 동안 어느새 세브란스병원에 도착했다. 낯설기만 한 병원의 모습. 엄마가 탄 구급차는 먼저 도착해 응급실로 들어갔다. 코로나19로 인해 다 들어갈 수 없다고 한다.

그래도 첫날이니까 한 명씩 들어갈 수 있다고 말씀해 주셔서, 큰오빠, 큰언니, 둘째 오빠까지 순서대로 들어가서 만나고, 마지막 내가 들어갔다. 주사바늘을 꽂고 계신 환자복을 입은 엄마의 모습을 보니 나도 모르게 눈물이 나려는 것을 꾹~입술을 깨물며 이겨내고 참았다.

"엄마, 엄마 힘들지? 엄마 조그만 참고 기운 내자. 검사 잘 받고 집에 가자 응!" 계속 엄마라는 말만 되뇌었다. 엄마가 침대에서 일어나면서 말씀하셨다.

"막내야 내가 몹쓸 병도 아닌데, 기운만 없을 뿐인데 괜찮겠지? 집에 가고 싶어"

지친 몸으로 많이 힘드셨을 텐데, 자신의 아픔을 제대로 말씀을 안 하시고 있다. '입맛 없다.' '잠이 온다.' '기운 없다.' 이렇게만 표현하시는 엄마의 말.

짧은 대화를 뒤로한 채 엄마와 보호자 한 명만 있어야 한다고 한다. 우선 큰언니가 오늘 밤에 엄마 곁에 있겠다고 했다. 응급실에서 기다렸다가 병실이 나오면 가야 한다고 한다. 기다리는 동안 필요한 물건들을 사고, 내일 다시 오기로 하고 엄마와 언니를 남겨 둔 채 집으로 향했다.

차 안에서는 각자 생각에 잠겨 정적만이 흘렀다. 엄마의 모습을 보면서 놀랐을 가슴을 쓸어내리면서 무사히 택시로 지방에서 수원. 수원에서 서울. 긴장을 풀지 않고, 곁에서 지킨 큰오빠. 엄마의 증상을 여기저기 알아보면서 조언을 구하는 둘째 오빠. 엄마 곁을 지키고 있는 큰언니. 어떻게 될지 모르는 상황에서 대기하고 있는 둘째 언니. 그리고 막내인 나.

힘든 상황에서 각자의 역할을 잘 해주고 있는 언니, 오빠들이 함께 있어 너무 든든하고, 고마웠다. 낯선 병실에서 엄마와 큰언니가 그렇게 이틀 밤을 보내고, 교대를 하기 위해 둘째 언니랑 같이 병원을 갔다. 병실로는 들어가지 못해 큰언니가 엄마를 모시고 내려왔다. 휠체어 실린 엄마의 모습. 그새 많이 수척해지셨다. 애써 웃으며 엄마를 웃게 해드렸다. 우리 이쁜 엄마. 우리 사랑스런 엄마.

아기가 되어버린 엄마. 엄마의 모습을 이렇게 찬찬히 본적이 있었을까라는 생각이 든다. 의사 선생님이 수술 날짜를 잡았다는 소식을 접한 후, "다행이다"라는 말을 나도 모르게 하고 있었다. 수술을 한다는 것은 희망이 있다는 것이기 때문이다. 이틀 뒤에 회사

휴가를 내고, 큰언니는 몸이 아파 못 오고 나. 먼저 4남매만 수술실 앞에 들어가기 전 엄마의 모습을 보기 위해 기다리고 있었다.

수술하기 전에 자세한 수술 방법, 후유증에 대한 설명을 들었지만, 머릿속에 들어오지 않았다. 자꾸 정신을 잡으려 해도 다시 희미해지는 것을 느낄 수가 있었다. 다시 정신을 차리기를 반복하며서 병실에서 내려오는 엘리베이터의 문이 열리고 침대에 누워 계시는 엄마의 모습이 보였다. 힘이 없는 눈, 팔에는 주사 자국으로 멍들고, 살이 없이 앙상한 뼈만 보인 채 환자복을 입으신 엄마! 그래도 총기가 있어서 우리들을 다 알아보았다. 나는 엄마의 손을 잡으면서 나의 따뜻한 온기가 전해졌으면 하는 바램으로 웃어주었다.

“엄마 괜찮을 거야 한숨 푹 자고 나오면 괜찮을 거예요.”라고 말했다. “야들아~수술하기 싫어. 몸에 칼 대는 것 싫다. 내 몸에 칼 대면 나 그냥 나올 거다.”라고 계속 말씀하신다. 얼마나 무섭고 두려우셨을까? 생전 병원에 계신 적도 없는데, 큰 수술을 앞두고 겁이 났을까? 라는 생각에 가슴이 저며온다.

우여곡절 끝에 그렇게 5시간이라는 긴 수술을 무사히 마쳤다. 우리는 ‘감사합니다.’라고 가슴속으로 말하고 있었다. 무사히 잘 이겨내 준 잠자고 계신 엄마의 모습을 보면서 “엄마 고생하셨습니다. 잘 이겨 내줘서 고마워요”라고 말해주었다. 엄마는 수술실에서 나와 회복실로 들어가시는 것을 보고 우리는 엄마에게 한 번 더 힘을 내라고, 고맙다고 말해주었다.

엄마 집에 가자

코로나19로 보호자도 한 명만 들어갈 수 있는 병실. 둘째 언니의 지극 보살핌으로 엄마의 상태가 많이 좋아져서, 큰 수술한 지 2주 만에 퇴원을 할 수 있었다. 하지만 엄마가 가고 싶어하는 시골집은 바로 갈 수가 없다. 아직은 경과를 보기 위해 정기적으로 병원을 가야 하기 때문에 가까운 우리집으로 모시고 와서 낮에는 언니가 돌보고 저녁에는 퇴근해서 내가 엄마와 함께 했다.

아침에 출근하기 전에 꼭 일어나시는 엄마. 군고구마를 좋아하셔서 따뜻한 군고구마를 챙겨서 드리면 하나씩 드셨다. 그 모습이 너무 이뻐보였다. 엄마도 자식이 먹는 모습을 보면 항상 웃어주시던 모습이 생각난다. 아기가 되어버린 엄마지만, 함께 있다는 자체만으로도 좋았다.

현실을 바쁘게 살면서 엄마의 모습을, 행동을, 생각을 제대로 보거나 들어본 적이 없다. 그냥 당연함으로 살아왔다. 아직은 대소변을 조절하는 게 힘드신데도 당신의 부끄러움으로 기저귀의 모습을 보이기 싫어 스스로 하신다고 하고, 화장실도 혼자 간다고 하시는 엄마. 살아오시는 동안 누구의 도움을 받지 않고 스스로 이겨내신 엄마. 그렇게 강한 정신력으로 하루하루가 나아지시는 엄마를 보면서 눈물을 흘리기도 했다.

지난날 자식들 집에서 불편하다고 항상 그냥 가셨던 모습이 생생한데, 제는 막내집이 좋다고 시골 가기 전까지 집에서 손자 손녀와 함께 지냈다. 아마도 아이들의 모습을 더 보고 싶어서 그럴 수도 있다는 생각이 든다.

아침에 아이들이 학교가기 전까지 할머니와 얘기하고 밥 먹으면서 아이들을 오래 지켜보았던 엄마. 우리집에 계시는 동안 엄마의 자신만의 성격대로 표현하기도 했다. 좋아하거나 드시고 싶은 음식을 얘기하기도 하고, 지난날 과거 얘기도 하고, 아버지 흉도 보고 웃으면서 도란도란 얘기를 하면서 엄마가 아닌 여자 대 여자로 들어주고 공감해주니 더 쉽게 대화를 할 수 있었던 값진 시간이었다.

엄마의 살아오신 삶을 알게 되었고, 지금 이 시간, 오늘이 지나면 오지 않을 이 시간. 왜 의미 있게 보내야 하는지. 왜 중요한지 알게 해주었다. 2개월 정도 우리 집과 언니, 오빠 집에서 몸을 잘 추스리고, 기력도 많이 회복되어 병원에 오지 않아도 된다고 한다.

"엄마 집에 가자. 집에 갈 수 있어." 그렇게 좋으면서도 때론 답답한 도시 생활을 마치고, 시골집으로 가게 되었다. 아버지가 싫다고 하셔도 좋으신가 보다. 항상 함께 해오셨기 때문인가보다.

"엄마 집에 오니까 좋지?" "그럼 너무 좋다." 엄마는 시골에서 자신이 하고 싶은 대로 해서인지 내려가서 볼 때마다 웃음이 많아지셨다. 병원 얘기만 하면 싫다고 하신다. 병원에 계시는 동안 주사바늘과 고통이 얼마나 힘드셨으면 엄마의 기억 속에 병원은 아픔으로 남아 있었다. 그렇게 힘들었던 아픈 기억 속의 병원은 이제 더이상 가지 않아도 된다. 이젠 아프지 않은 곳에 있기 때문이다.

엄마는 나비가 되어

2023년 7월 22일 부모님의 구순 생일잔치를 가족들이 분주하게 준비했다. 부모님의 고마움과 감사함을 표현하기 위해 현수막도 만들고, 가족들에게 선물해 줄 수건도 만들었다. 해마다 챙기는 부모님 생신이지만, 엄마의 큰 수술을 하고 나서 더욱 애틋하게 다가왔다. 잘 이겨내 준 엄마에게 진심으로 축하해주고 싶었다. 준비하면서 눈물이 왜 이렇게 나는지 알 수가 없었다. 가족들은 말을 조심하면서 최대한 많이 아꼈다. 좋은 말과 힘 나는 말로 위로를 해주었다. 엄마는 항상 말씀하셨다. "너희들은 우애 있게 지내야 한다. 싸우지 말고 사이좋게 지내야 한다." 항상 그렇게 자식들만 걱정해주시고, 항상 챙겨주시던 엄마.

20명 정도 되는 가족들이 미리 예견이라도 한 듯이 다 같이 모여 부모님의 뜻깊은 구순을 축하해 주었다. 기쁜 마음과 혹시 모를 마음을 조리며, 일어나지 않기를 빌며, 더 건강하고 오래 사시라고 예쁘게 한복을 입히고, 이쁜 공간에서 사진도 찍고 맛있는 음식을 먹었다. 너무 예쁜 우리 엄마. 그렇게 환하게 웃으시는 사진이 영정사진이 될 줄 몰랐다. 사람 일은 한 치 앞을 모른다는 말을 큰 일을 치르고 나서야 알았다.

그날도 아침마다 전화하면 들려오는 엄마의 목소리.

"밥 먹었냐? 애들은 학교 갔니?" 항상 같은 말로 물어보신다. 하지만 전화 목소리 너머로 들려오는 엄마의 떨면서도 기운이 없는 힘 없는 목소리가 느껴진다. 그게 마지막 통화가 되리라고 상상도 못 했다. 항상 반복되는 아침의 일상일 뿐.

그날 병원으로 간다는 전화를 받고, 흐르는 눈물을 멈출 수가 없었다. 여름에 내리는 장마비처럼 나의 눈물도. 웃으시면서 찍은 사진 속의 모습도 마지막이고.

"엄마 건강하세요"라는 말을 전한 것도 마지막이고. 가시는 모습조차 보지도 못한 채 차가운 영안실에서 누워계신 엄마의 모습을 보고 오열하며 소리를 지를 수밖에 없었고 누워계신 엄마를 보며 무슨 말을 어떻게 해야 할지 몰랐고, 언젠가는 가실 줄 알면서도 이날이 이렇게 빨리 올 줄 몰랐고, 누구를 원망할 수도 없다.

준비 없이, 아니 준비를 했더라도 사랑하는 사람을 떠나보낸다는 것은 어떤 말로도 표현할 수가 없다. 나는 마음속으로 다짐을 했었다. 보내더라도 너무 슬픔에 머물러 있지 않기로, 대신해주고 싶었던 말을 하고, 마지막 모습을 어루만졌다. 나의 눈에 담아두어 그리울 때, 보고 싶을 때 마음으로 꺼내 볼 거라고. 하지만 다시 보지도, 만질 수도 없는 상황을 도저히 받아들일 수 없다는 것을 알게 되었을 때, 울고 또 울고 계속 눈물만 흘렸다. 감정을 제대로 추스리지 못한 채 그렇게 엄마와의 마지막 인사를 했다. 숨은 쉬지 않지만 나의 말을 들어주시라 믿고, 누워계신 엄마에게 꼭 얘기를 해주고 싶은 말을 해주었다.

"엄마 그동안 살아내느라 고생하셨습니다. 우여곡절 많은 이 세상에 와서 엄마라는 이름으로 우리에게 와줘서 고맙고, 감사합니다. 우리와 인연이 되어 저희를 사람됨으로 잘 키워주시고, 언제나 나무처럼 변함없이 옆에 함께해 주어 저희는 행복했습니다. 이젠 엄마를 볼 수 없지만, 저희 마음속에 항상 함께한다는 것을 알기에 엄마를 보내려 합니다. 사랑하는 엄마 이젠 가고 싶은 곳, 하고 싶은 것 하시면서 노란 나비가 되어 훨~훨 날아다니세요. 이젠 편안히 쉬세요. 엄마 사랑합니다. ”

2023년 8월 2일 무더운 여름날에 엄마는 나비가 되어 우리 곁을 떠났다. 엄마를 그렇게 보내고, 한동안 우리 가족들은 아무 말 없이 각자 삶에서 엄마를 그리워하며 보냈다. 홀로 남으신 아버지를 위해서라도 우리는 다시 일어서야 한다.

엄마에게 약속했다.

“걱정하지 말고, 남겨진 우리는 잘 지낼게, 엄마.”

남겨진 자

김수진

그날의 공기

그날의 온도가

잔상처럼 남아있지만

그날의 시간이 모두

멈춰버린 듯하지만

그래도 웃어지고

그래도 살아지고

엄마의 삶이 최선일 수도

<u>억척이 정옥희 여사님</u>

농사꾼인 아버지의 얼굴도 모른 채 시집을 온 새색시 엄마. 지금 생각하면 상상도 못 할 일이다. 7남매를 낳고, 두 아이는 병으로 가슴에 묻었고, 남은 자식들을 위해 억척이가 될 수밖에 없었던 엄마. 90세를 살아오시는 동안 농사만 지으시면서, 자신의 목소리를 내지 않고, 아버지의 그늘에서 묵묵히 엄마라는 직업으로 사셨다.

자식들이 커갈수록 돈이 필요했기에 돈을 벌기 위해 어떠한 일도 마다하지 않으셨다고 한다. 엄마의 이마의 주름과 손등의 마디마디마다 굵은 핏줄이 살아오신 삶이 평탄치 않았다는 것을 알게 해준다.

엄마는 그런 삶을 그냥 당연하게 생각하고 사실 수도 있고, 아니면 생각조차 할 겨를도 없이 살아오셨을 수도 있다. 어린 자식들의 짜증 내는 것, 화내는 것, 섭섭함을 무엇으로 달래었을까? 라는 생각이 들었다. 아마도 이때부터 엄마는 담배를 피우지 않았나 싶다. 엄마의 담배 피우시는 모습을 바라보면서 건강 걱정을 매일 하면서, 그만 끊으시라고 했던 말이 미안함으로 몰려온다.

유일한 엄마의 쉼의 공간이자 애가 타는 속을 달래고 있었을 것일 수도 있었기 때문이다. 젊어서 식당일 하면서, 힘듦을 달래고 내일이면 나아지겠지라는 생각으로 사신 거다.

5남매 자식들이 하나, 둘씩 결혼하고 각자의 가정을 꾸리면서 아버지와 엄마는 다시 고향으로 가서 새로 집을 지어 제2의 인생을 시작했다. 70세에 다시 시작한 것이다. 이젠 여유롭게 지낼 법도 한데, 아버지의 농사 욕심으로 벼부터 시작해 다양한 농사를 지었다. 다시 엄마는 억척이가 될 수밖에 없다.

자식들 오면 일 시키지 않으려고, 어쩌면 바쁜 일상들이 몸에 밴 습관일 수도 있다. 엄마는 돌아가신 그날까지도 일을 하시고 오셨다. 자신의 몸은 돌보지 않은 채 하루의 삶을 충실하게 살기 위해 미련하지만 억척스럽게 사셨기에 90세가 되어도 일을 하신 것이다.

삶을 살아오는 동안 최선의 삶을 살아온 엄마

5남매를 키우면서 사건과 사고가 많았다. 가지 많은 나무에 바람 잘 날 없을까? 매일 걱정과 조바심 속에 살아오면서 자식들만 생각했던 엄마. 우리는 엄마가 살아온 삶을 보면서 "왜 이렇게 힘들게 살까? 변하지 않는 생각과 행동들 이해가 안 돼"라는 생각이 들기도 했다. 그때는 철부지라서, 우리의 생각이 짧았기에 보이는 것만 보고 판단을 했다.

우리의 몸도 마음도 변해가는 시절이 있듯이 엄마의 그런 시절은 일하느라 바쁘고, 당신을 챙길 마음의 여유도 없었을 것이다. 엄마의 마음속에는 오직 자식들 사는 걱정으로 가득 차 있었을 것이다.

엄마에게는 농사일과 자식들밖에 없기 때문이다. 속상하면 담배 한 모금, 화가 나도 담배 한 모금 그렇게 담배 연기로 다 보내버린 것이다. 자식들이 아무 일 없이 잘 살아가는 것이 엄마인 당신 스스로가 해야 할 행동이 무엇인지 알고 있었기에 엄마의 삶은 최선일 수밖에 없다.

어른은 내가 지금 어떤 행동해야 하는지 아는 것. 그것을 또 실천하는 것. 나는 지금은 엄마를 원망하지 않고, 속상해하지도 않는다.

나에게 엄마는 지혜롭고 존경하고 멋진 여자이다. 자신이 어떻게 살아야 하는지, 항상 겸손하라고 알려주시면서 실천하는 것을 보여주었다. 힘든 삶 속에서도 꿋꿋이 자신의 자리를 지켜준 엄마의 삶은 배우게 되었다. 엄마에게 삶을 대하는 자세를 배우고, 항상 우리에게 당부하셨던 말이 있다.

첫째, 절대 포기하지 않기

인연의 끈은 무섭다. 엄마와 자식으로 만나 어떠한 상황에서도 끈을 놓지 않았다. 두 자식을 먼저 보내 가슴에 품고 살아내신 엄마는 포기하지 않고 살아오셨다.

둘째, 엄마로서의 무한한 사랑 주기

남은 자식들 키우면서, 자신보다는 자식들의 커감에도 변하지 않고 그 자리를 지켜주신 엄마.이기에 무한한 사랑이 아닌가 싶다.

셋째, 상대방에게 기대하지 않기

엄마는 항상 말씀하셨다. "우리 걱정은 하지 말고 너희만 잘살면 돼. 형제들끼리 우애 있게, 가족들과 행복하게 살면 돼." 기대보다는 엄마의 바램일 수도 있다.

넷째, 항상 겸손하기

엄마에게 혼나는 가족 중에 유일한 한 사람 바로 아버지다. 노인회장이신 아버지는 동네에 마을 회관에 가면 자신의 자랑하는 말을 많이 하신 모습을 지켜보다 집에 와서는 엄마에게 잔소리를 듣는다. "제발 말조심하고 함부로 자랑하지 말고 겸손 하라고" 삶의 처세술을 엄마는 알고 그렇게 살아오셨다.

뭐든지 지나치면 탈이 나는 법이다. 지금도 아버지를 보고 있으면 엄마의 목소리가 들리는 듯하다.

다섯째, 남 험담하지 않기

동네 아줌마들이 삼삼오오 모이면 누군가를 험담하기 시작한다. 엄마는 그런 모습이 싫다고 얘기한다. 그래서 집에만 계시려고 한다.

다 부질없다고 하면서. 집에서 일하기 바쁘다고 하면서, 동네 사람들과 말하는 것을 좋아하지 않으셨다. 워낙 노는 것을 좋아하고 사람들을 좋아하시던 엄마인데 사람들에게 지쳐있을 수도 있다. "절대 없는 사람 얘기하지 말고, 욕도 하지 말고 알것제." 우리에게 말씀하시곤 했다.

엄마의 삶은 그 시대에 맞는 엄마로서 살아가는 최선의 방식일 수도 있다는 생각을 한다.

엄마와의 추억을 마주한다.

<u>항상 대문 앞에서 기다리고 있는 엄마</u>

"엄마 거의 다 왔어요."

도착하기 전에 엄마에게 전화를 한다. 내려간다고 전화를 하면 언제나 대문이 활짝 열려 있다. 오늘도 어김없이 대문이 활짝 열려 있다. 엄마가 미리 들어오라고 문을 열어놓고 기다리고 계신다.

어느 날은 집 앞 다리까지 나와계셔서 나는 차에서 내려 엄마와 집에 가는 길까지 걸어가면서 얘기를 나눈다.

“엄마 오래 기다렸어?”

“아니 이제 금방 나왔어. 온다길래 집에 있으면 심심해.”

항상 엄마를 만나면 안아주면서, 몸은 괜찮은지 다시 한번 본다. 엄마의 팔짱을 끼며, 걸을 때가 너무 행복하다. 세상을 다 가진 어린아이처럼.

90세가 다 되어가도 언제나 꿋꿋하게 걸으시는 엄마의 모습은 나를 더욱 힘나게 한다. 시골집에 다녀가면 좋은 힘을 얻어가는 느낌이 든다. 어릴 때는 크셨던 모습이 이제는 내가 훌쩍 커서인지 나보다 작은 체구로 변해가는 엄마이지만, 농사일하실 때는 어디서 힘이 나는지, 묵묵히 해내신다.

대문 앞은 또 다른 엄마의 쉬는 공간이다. 그늘 밑에 앉아 담배를 피우면서 저 멀리 보이는 높고 시원하게 뻗은 산을 보기도 하고, 담벼락 뒤로 보이는 차들도 보면서 자식들 차가 언제 들어오는지 보고, 앞마당에 풀들이 자란 것을 쉬엄쉬엄 뽑기도 하면서 엄마는 그곳에서 하루를 보내고 계셨다.

가끔은 대문 앞 자갈밭에 앉아서 엄마가 해주시는 맛있는 밥도 먹기도 하고, 도란도란 이야기도 하면서 엄마의 얘기도 들어주었다. 추억이 많은 그곳은 하늘에 흘러가는 구름처럼 나의 머릿속에도 하나, 둘 흘러가면서 떠오르곤 한다.

항상 웃어주는 엄마

엄마의 말에는 사랑이 느껴진다. 엄마가 살아계실 때에도 아버지 혼자 계신 지금도 아침에 출근하고 제일 먼저 시골에 계신 부모님에게 안부 전화를 한다.

결혼하고 나서 아주 오래된 습관 중 하나다. 전화를 하면 엄마가 받으면서 하는 말.

"밥은 먹었냐? 꼭 챙겨 먹어 알겠지." 바람이 세찬 겨울에는 "옷 따습게 입었냐? 애들은 학교 잘 가지?." 매일 같은 안부 말이지만, 전화 속으로 들려오는 엄마의 목소리는 하루의 시작으로 나를 기쁘게 해준다. 아침에는 어떤 말을 하느냐에 따라 그날을 결정하기도 한다.

친정집에 가면 눈가의 주름진 엄마의 모습도 웃음소리도 너무 좋았다. 한 달 동안 지친 몸을 이끌고 친정집에 가면 다시 기운 얻어 또 한 달을 살기도 한다. 그래서 한 달에 한 번씩은 간다. 항상 웃어주시는 엄마는 아마도 막내인 나에게 미안해서 그럴 수 있다는 생각도 들었다.

아이도 8년 만에 생겨, 그동안 맘고생했을 딸. 아이 키우며 회사 다니는 안쓰러운 딸. 엄마가 바라보는 딸의 삶이 힘들어 보였나 보다. 나만 내려가면 이쁜 말도 해주고, 농사일 하느라 힘드시면서도, 짜증을 낼 법도 하는데 나에게만은 항상 웃어주셨다.

따뜻한 미소와 따뜻한 말을 해주어 철부지 막내인 나는 그런 엄마의 모습이 좋았다. 힘든 삶에도 내색하지 않은 엄마. 나로 인해 엄마도 기운 나는 존재이지 않았을까라는 생각이 든다.

꿈에

김수진

허허 웃던 모습
지그시 바라보던 미소

오랜만에 만난 꿈속에서
끝내 아무 말이 없었네

함께할 땐 미련스럽게도
영원할 것만 같고
떠난 후엔 속절없이

그리워만 지네

무엇이든 아낌없이 주는 엄마

부모 마음은 다 같은가 보다. 자식들에게 하나라도 빠짐없이 주고 싶은 마음. 시골 내려갈 때마다 무언가를 하나라도 챙겨주시던 엄마. 시골집에 가면 나는 쉬면서, 놀다가 온다. 결혼하기 전에는 엄마가 해주시는 밥 먹고, 맛있는 음식도 해주시면 먹고, 자고 쉬고 유일하게 쉬었다 온다. 돈 번다고 고생한다고 하시면서 집에 오면 아무것도 하지 말라고 말씀하신다. 나는 아무것도 하지 않고 정말로 쉬었다 온다. 지금 생각해 보면 정말 철부지 딸인 것이다.

결혼을 하고 난 후 두 아이의 엄마가 되면서 아이들과 친정집에 가면 부모님이 애써 농사지어 얻어낸 귀한 것들도 항상 챙겨주신다. 이게 부모의 마음인가보다. 손자 손녀에게 주려고 주섬주섬 뭔가를 주머니에서 꺼내 구깃하게 접혀진 돈을 꺼내 주신다. 당신의 필요한 것은 사지도 않으면서 우리를 위해서는 이것저것 사놓으신다. 우리에게 무엇이든 주는 것을 아끼지 않으신 엄마. 철부지 딸은 그저 좋아하기만 했다. 아낌없이 받기만 나는 우리 아이들에게 아낌없이 줄 수 있는 엄마가 될 수 있을지 문득 생각에 잠긴다.

받은 사랑은 고스란히 아이들에게 잘 전해졌으면 하는 바램이 있다. 엄마보다는 부족하지만, 나의 생각과 행동이 아이들의 가슴에도 남아있으면 하는 욕심을 가져 본다.

닮아가는 나, 그리고 엄마

혼자 살아가는 것도

엄마가 어떤 음식을 좋아하는지, 어떤 옷을 좋아하는지 알지 못했다. 아니 관심이 없었다. 엄마한테는 죄송한 마음뿐이다. 엄마와 같이 산 게 15살, 중학교 2학년까지인 것 같다. 돈을 벌기 위해 아버지께서는 수원. 엄마는 식당에서 일을 하고 계셨기 때문에 거의 집에 계시지 않았다.

언니 오빠들도 모두 떨어져 지내고, 나 혼자 시골집에서 학교를 다니면서, 혼자서 아침밥 먹고 버스 타고 학교 가서 있다가 다시 버스 타고 반복되는 일상을 혼자서 해냈다. 누군가에게 짜증을 낼 수도 없고, 질풍노도 사춘기도 무사히 보내게 되었다. 그때 당시 그렇게 할 수밖에 없는 현실을 인정하고 받아들였나보다.

지금 생각해 보면 그때부터 혼자 살아가는 연습을 했을지도 모른다는 생각이 들었다. 엄마와 떨어져 지내면서 학교 시절 추억은 거의 없다. 엄마도 혼자 멀리서 식당일 하시면서 얼마나 힘드셨을까라는 생각을 하게 된다. 지금의 나도 어딜 가더라도 자신을 데리고 살 수 있는 것은 엄마의 살아오신 모습과 닮기도 했다.

엄마와 떨어져 지내면서 나는 혼자서 많은 일을 해야 했다. 아침밥을 혼자서 챙겨 먹고, 버스를 타고 학교에 가서 수업을 듣고,

다시 버스를 타고 집에 돌아왔다. 혼자서 지내는 시간이 많았지만, 나는 그 시간을 나름대로 즐겁게 보냈다.

엄마는 나에게 삶의 지혜와 인내심을 가르쳐주었다. 엄마는 어려운 상황에서도 포기하지 않고 자신의 일을 해내는 모습을 보여주었다. 나는 그런 엄마의 모습을 보면서, 어려운 상황에서도 포기하지 않고 끝까지 노력하는 자세를 배웠다.

엄마와 함께한 시간은 나에게 큰 영향을 끼쳤다. 나는 엄마의 가르침을 잊지 않고, 앞으로도 어려운 상황에서도 포기하지 않고 끝까지 노력하는 자세를 유지할 것이다. 엄마와 나는 서로 다른 환경에서 살아왔지만, 그 속에서도 서로를 지탱해주며 성장해왔다.

엄마와 딸

조연희

나의 모습이

엄마를 닮아간다.

걸음걸이와

말투

행동

생각

아이를 보며

웃는 모습

엄마의 모습이

나를 닮아간다.

오늘도

그렇게 엄마를 닮아간다.

좋아하는 것도

엄마는 나에게 많은 음식에 대한 추억을 남겨주셨다. 그중에서도 가장 기억에 남는 것은 장떡과 김구이이다. 장떡은 장독대에서 된장과 고추장을 가져와서 텃밭에서 따온 매운 고추를 다지고, 양파를 다지고, 진한 향이 나는 깻잎을 송송 썰고 다진 마늘 듬뿍, 거기에 약간의 Msg를 넣은 후, 반죽을 한다. 달구어진 후라이팬에 식용유를 두르고, 숟가락으로 한입 크기로 떠 놓는다. 시간이 오래 걸리기도 한다. 노릇하게 익으면 앞에 앉아서 먹는 재미. 잊을 수가 없다.

재래김을 사다가 오목한 그릇에 들기름과 소금을 섞어 두 장씩 숟가락으로 100장의 김을 움직임 없이 앉아서 다 바르고, 달구어진 후라이팬에 구워주셨다. 고소한 냄새가 집안을 가득 메웠다. 엄마는 그렇게 잊지 못하는 음식으로 해주셨다. 엄마는 자식들이 좋아하는 것만 해주셨다. 당신이 좋아하는 것을 모른 채.

엄마는 자식들을 위해 항상 맛있는 음식을 해주셨다. 하지만, 정작 자신이 좋아하는 음식은 알지 못했다. 장떡과 김구이를 해주실 때도, 엄마는 자식들이 맛있게 먹는 모습을 보며 행복해하셨다. 엄마는 자식들을 위해 자신의 삶을 희생하며 살아오셨다. 자식들이 좋아하는 것을 해주기 위해 자신의 시간과 노력을 아끼지 않으셨다.

이 글을 쓰는 동안에도 그 맛과 향기가 생각나면서 군침이 돈다. "엄마 참 맛있어요."라고 말해주고 싶다. 엄마 삶의 전부는 아니지만 혼자라도 꿋꿋이 초등 6학년인 아들이 외할머니 식성을 닮았다는 것을 알게 되었다.

간장게장 좋아하고, 꽃게탕 좋아하고, 해산물을 좋아하는 것을. 우리는 친정에 가면 엄마가 좋아하시는 송어회를 먹으러 간다. 엄마가 무척 잘 드시고, 우리랑 함께 가는 것을 좋아하신다. 딸인 나도 엄마가 되면서 나보다는 아이들을 먼저 챙기게 되는 모습을 보면 엄마의 생각이 더 난다. "어릴 적 엄마처럼 표현 안 하고 자식만 바라보는 엄마처럼 살지 않을래. 아니 엄마처럼 살 수 없을 것 같아."라는 말은 했던 기억이 어렴풋이 난다. 아이가 간장게장을 맛있게 먹는 모습을 보면서, 엄마가 떠올랐다. 엄마도 간장게장을 좋아하셨는데, 함께 먹지 못하는 것이 아쉬웠다.

어릴 때는 보이지 않았던 엄마가 좋아하는 것이 무엇인지 나이가 들어갈수록 보이게 될 것이라고 생각한다. 무심히 흘려보냈던 엄마와의 일상들이 죄송스럽고 미안한 마음뿐이다.

아이를 키우는 것도

새벽에 눈을 떠서 잠들어 있는 아이를 보며, 혹시 추울까 봐 이불을 덮어주었다. 이불을 덮어주며 잠자고 있는 아이들의 얼굴을 한 번씩 바라보고 쓰다듬어 주면서 나도 모르게 눈물이 흐르고 있었다. 감사함의 눈물이다. 이렇게 바라볼 수 있는 것만으로도 어제 있었던 일은 아무 일 없다는 듯이 사라진다.

제때 기억나고 제때 잊어버릴 수 있는 것은 건강한 삶을 살아가기 위한 인간만이 할 수 있다. 기억하고 싶은 추억만 간직하고 싶다. 시골에서 엄마와 지낼 때, 자고 있으면 문 사이로 살며시 들어오는 불빛을 의지해 더듬거리면서 어두워진 방 안에서 자고 있는 우리들의 이불을 덮어주며 "어이구 내 새끼" 하면서 말씀하시곤 했다. 방문이 열리면서 잠이 깨어 있었지만 일어나지 않았다. 일부러 자는 척하면서 엄마의 따스한 온기를 느끼고 싶었다.

엄마는 그렇게 이불을 덮어주고 농사일을 하러 나가신다. 하루 종일 힘들었을 몸을 이끌고, 자식들을 위해 맛있는 밥 한 끼를 해 주신다. 엄마는 된장찌개에 밥을 말아 후루룩 드신다. 정말 빨리 드시는 모습을 보고 놀래기도 했다. 이제야 왜 빠르게 먹었는지. 반찬은 안 드시고 한가지 하고만 드셨는지 알 수가 있었다.

어느덧 두 아이의 엄마가 된 나도 일을 다녀오면 지친 몸을 집으로 다시 육아 출근을 해서 밥하고 챙기고 하면 남아 있던 에너지가 없어져서 밥 먹을 힘도 없을 때 국 하나에 밥을 말아 후루룩 먹고 있는 것이다. 가끔은 놀라기도 한다. 엄마가 하셨던 행동들이 딸인 내가 엄마가 되어 하고 있기 때문이다. "엄마는 왜 국하고 밥만 먹어. 맛있어?" 초등 6학년 아이가 나에게 물어 본다.

나도 모르게 온몸에 소름이 돋는다. 나도 모르게 엄마처럼 행동하기 때문이다. 아이들이 잘 먹는 것만으로 행복하고 감사했다. 엄마도 우리를 키우면서 하나라도 더 먹이고 싶은 마음이었을 것이다.

항상 “맛있는 거, 몸에 좋은 거, 먹고 싶을 때 먹어야 돼, 알것재.” 말씀하시곤 했다. 당신은 어릴 적 해주지 못한 게 미안해하면서 성인이 된 우리에게, 아이들에게 잘 먹으라고 말씀하신다.

초등학생인 두 아이에게 할 수 있는 일은 스스로 자립심으로 키우고 있다. 말을 많이 하는 편도 아니다. 아이들이 스스로 자신의 행동을 판단할 수 있는 시간을 주고 있다. 일찍이 엄마와 떨어진 사춘기 때 혼자 살아가는 법을 배우고 있었다는 것을 회사를 다니면서 알게 되었다. 알게 된 시간이 오래 걸리기도 했다.

그런 영향 때문인지, 우리 아이들에게도 잘할 거라는 믿음이 있다. 어떠한 상황에서도 잘 이겨내고 힘들 때 다시 일어설 수 있는 믿음. 엄마에게 받은 언제나 긍정적인 자세로 삶을 살아온 자세이다. 엄마는 그렇게 우리들을 믿고 계셨다. 그때는 몰랐다. 우리가 짜증 내는 행동들, 상처받고 서운한 말들 그냥 다 들어주시면서 우리들의 모습만 보고 계신 것이라는 생각이 든다.

우리가 수십 번 수백 번을 힘들다고 말해도 언제나 그 자리에서 꿋꿋이 있으면서 다 들어주셨다. 엄마인 나는 아직 아이들이 짜증 내면 같이 짜증을 내기도 여러 번 있다. 아마도 앞으로 그렇지 않을까 싶다.

사랑을 표현할 줄 몰랐던 엄마는 우리 얘기를 다 들어주고, 힘든 삶에서도 웃어주던 모습이 사랑이었던 것이다. 말로는 하지 않아도 몸으로 보여주고 있었음을 지금에야 깨달았다. 말씀 한마디 한마디가 사랑스러웠던 엄마.

지금 아이들에게 "사랑해 고마워 감사해."라는 말을 자주 사용하곤 한다. 아이들의 행동이나 말투로 화가 나고 서운하지만 지나가는 과정이라고 생각하며, 매일 다짐한다. '엄마처럼 덤덤히 넘어갈 수 있는 나무처럼 언제나 그 자리에서 있을 수 있는 굳건한 마음과 지금의 모습만 보는 게 아닌 숲을 볼 줄 아는 지혜로운 엄마가 될 수 있다.'라고 다짐을 한다. 엄마에게 받은 사랑이라는 유산을 믿기 때문이다.

엄마로 살아가는 것도

29살에 결혼해서 37살에 귀한 아이들을 만났다. 기나긴 시간 동안 몸도 마음도 많이 지치고 힘들었다. 옆에서 지켜보는 엄마의 마음은 오죽했을까라는 생각을 하게 된다.

막내인 나를 42살에 낳으신 엄마. 늦게 아이를 낳아 키우는 게 힘드신 것을 알기에 나를 더욱 챙기신 듯하다. 아이가 생기지 않아 걱정을 하시면서 "몸에 좋은 거 많이 먹고, 병원도 다니고, 한의원도 다니고 "하시면서 "회사는 그만두면 안 되겠니?" 항상 말씀하시곤 했다. 한약도 지어주시면서 막내딸에게 하나라도 더 챙겨주고 싫어 하시는 엄마의 모습이 아직도 생생하다.

두 아이를 2년 터울로 자연임신으로 낳았을 때 기쁨은 이루 말할 수 없다. 몸은 힘들지라도 아이들의 방긋방긋 웃는 모습을 보면 모든 게 사라진다. 엄마는 이런 존재인가 보다. 힘듦에도 아이가 주는 하나하나 행동에 반응하면서 사르르 녹아버리는 존재. 언제 그랬냐는 듯이 잊어버리고 아이들과 하루를 보낸다.

나에게 아이들은 인연이다. 가족이라는 이름으로 만나 가족이라는 구성원으로 함께 살고 있다고 생각한다. 살아가면서 회사 일과 병행하는 워킹맘으로 내 안의 아이의 수많은 감정들과 잘 이겨내면서, 다시 아이들과 다른 일들을 마주할 것이다. 반복되는 삶을 살아갈 수 있다는 생각도 든다. 엄마는 그냥 받아들이면서 희생적이면서 무한한 사랑을 주시며 엄마의 삶을 사신 것 같다.

나는 엄마처럼 살지 못한다. 우리만을 바라보고 자식만 걱정하셨던 엄마. 엄마의 하고 싶은 것. 아니 할 수가 없어 포기했던 여자였던 엄마. 여자의 삶보다는 엄마의 삶으로 직업을 바꾸며 한평생을 그렇게 사신 모습은 엄마의 최선의 삶일 수도 있다. 우리 5남매들의 지금 모습이 엄마의 삶이다.

나에게 엄마의 삶은 무엇인가?

나는 어떤 엄마인가?

나에게 엄마의 삶은 어떤 모습이 최선일까?

아이들에게 비춰지는 나의 모습은 어떨까?

엄마라는 단어는 포근하고, 따뜻하며, 강인하기도 하고 언제든지 안아줄 수 있는 하늘에 떠있는 푹신한 구름이 떠오른다.

좋은 일보다는 힘든 일들을 겪으면서 버틸 수 있는 내공을 자신도 모르게 만들어져 가면서 버틸 수 있는 힘이 생기고, 그 힘으로 살아가는 강인함은 엄마가 아니면 할 수 없는 일들이다. 하지만 아이들이 기억하는 나는 슈퍼우먼이 아닌 것을 알았으면 하는 바램이다. 세상을 살아가는 방법, 힘들 때 오뚜기처럼 다시 일어설 수 있는 마음 근육 단단한 삶. 자신이 하고자 하는 꿈을 찾아 배우는 모습. 사람을 좋아하고 공감하는 따뜻한 마음을 아이들과 같이 배우며 성장하는 엄마이고 싶다.

엄마가 살아오신 그 길을 생각하면서 아이들과 함께 나만의 엄마의 길을 웃으면서 만들어 갈 것이다.

"엄마 잘 지켜봐 주세요. 엄마가 우리에게 했던 무한한 사랑은 약속 못 하지만, 후회 없는 삶을 살아갈게요. 항상 함께 해주세요."

여자의 삶에서 엄마의 삶. 다시 여자의 삶으로 살아가는 나의 모습을 보여주려 한다. '죽음은 두려운 게 아니라, 삶의 완성'이라고 니체는 말한다. 막연히 죽음은 두렵기도 하고 무섭기도 했다. 죽음을 생각하는 것만으로도 인생을 낙관적으로 볼 수 있고, 숨이 붙어 있는 지금 이순간이 얼마나 감사한지 깨닫게 해준다.

엄마도 삶의 완성을 하고 가셔서 얼마나 후련하실까? 엄마인 지금의 나도 삶의 과정을 완성하는 나로 살려 한다.

엄마가 했던 것처럼…

엄마가 사셨던 것처럼…

엄마가 웃으셨던 것처럼…

그리운 엄마에게 말을 건넨다.

엄마에게 편지로 마음을 전합니다.

사랑하는 엄마에게

엄마, 날씨가 제법 추워졌어요. 항상 따뜻한 날씨이면 좋으련만 계절의 변화는 어쩔 수 없네요. 엄마 그렇게 보내고 난 후, 엄마의 모습을 보고 싶었지만, 차마 볼 수가 없었어요. 엄마의 얼굴을 보면 눈물이 나고, 제 마음이 무너지면서, 잘 버텨왔던 마음이 걷잡을 수 없을 것 같아 힘들었어요. 언니 오빠들도 같은 마음이었어요. 그러나 이제는 엄마의 사진을 볼 수 있을 것 같아요. 엄마의 예쁜 웃는 모습, 대문에 앉아서 얘기 나누는 모습, 엄마의 일하시고 있는 모습, 아버지와 함께 여행 가셔서 노시던 모습, 엄마의 담배를 피우시던 모습, 하나씩 하나씩 꺼내 보며 그리운 엄마와의 추억을 얘기하려 해요.

엄마와의 지내왔던 지난 시간들이 이렇게 빨리 추억으로, 그리움으로 남게 될 줄 몰랐어요. 남들처럼 평범한 일상들이 이제는 소중하게 느껴지네요. 시골 가면 엄마와 같이 밥 먹고, 일을 하기도 하고, 시장도 같이 가고, 좋아하시던 짜장면도 사 먹고, 무척이나 회를 좋아하셔서 차를 타고 멀리 가서 먹고 왔던 엄마와의 일상들이 너무나 그립습니다.

그리움이 절실하다는 것은 엄마와의 추억들이 좋았고, 하지 못한 것에 대한 미안함도 있기 때문입니다. 어떠한 상황에서도 항상 후회는 있나 봅니다. 후회하지 않은 삶을 살았다고 자신했는데, 그게 아니었나 봅니다. 엄마 이제는 후회하지 않는 삶을 살기 위해 노력하려고 합니다.' 오늘을 의미 있게 보내라'라는 글이 저에게는 너무나 와닿습니다. 평범한 하루가 아닌, 당연함의 하루가 아닌 나에게 주어진 귀한 시간을 가장 아끼는 사람들과 함께 웃으며 서로 아끼고 사랑하고 행복하게 보내기로 했습니다.

작년 이맘때쯤 엄마께서 저의 집에 계시는 동안 많은 것을 알게 되고, 너무 행복했어요. 항상 받기만 하는 철부지 막내딸이었는데,

엄마에게 효도할 수 있는 시간을 주셔서 감사드립니다. 순간순간 애기처럼 행동하시면서 좋아하는 음식을 해달라고 하시고, 마음속에 있던 엄마의 감정들을 솔직히 얘기해 주셨던 기억이 나네요. 엄마의 모습을 자세히 보았던 적이 손에 꼽을 정도인 자신에게 용서가 되지 않기도 합니다. 엄마가 주무시는 모습, 식사하시는 모습, 잔잔히 웃음으로 바라보시는 모습. 모든 게 사랑스러웠습니다.

어찌 보면 이때서부터 나의 마음 속에는 준비를 하고 있었던 것 같아요. 사랑하는 사람을 떠나보내는 게 얼마나 힘든지 알기에, 그 분이 또 엄마라는 사실에 믿지 않고 싶었지만, 조금씩 조금씩 마음 한켠으로 가족 모두 말은 하지 않았지만, 각자의 역할에서 준비를 하고 있었습니다.

솔직히 아직도 실감이 나지 않아요. 멀리 떨어져 지낸 세월 때문인지, 아이들 케어하면서 회사를 다녀서인지 정신적인 여유가 없어서인지 아직도 전화하면 받을 것 같고, 목소리가 들리는 것 같아요. 한 달에 한 번씩 친정집에 갈 때마다 엄마가 주무셨던 방에 들어가 인사를 합니다.

"엄마 저 왔어요." 나즈막히 속삭이며, 엄마가 자주 입으셨던 옷에서 엄마의 향기를 맡으면서 또 엄마 생각을 하기도 해요.

"살아있을 때 오라고 죽어서 오면 무슨 소용 있냐고." 말씀하시면서 자식들을 보고 싶은 마음을 말씀해 주신 엄마의 모습이 생각나네요. 그때 우리 자식들은 미처 생각하지도 못한 것을 깨우쳐 주셨던 엄마. 뭐가 그리 바쁜 삶을 살았는지. 엄마, 우리도 지금의 삶이 최선이고, 살 수밖에 없고, 아무 일 없다는 듯이 앞으로도 그렇게 살아가겠죠.

엄마, 저는 엄마가 저에게 주신 사랑과 가르침을 잊지 않고, 항상 기억하며 살아갈게요. 엄마가 보고 싶을 때는 언제든지 사진을 보며, 엄마와의 추억을 떠올리려고 해요. 엄마가 저에게 주신 사랑과 가르침을 우리 아이들과 다른 사람들에게 나누며, 엄마처럼 따뜻하고, 배려심 깊은 사람이 되려고 노력할게요.

닮지 않으려고 살아가는 모습이 이제는 엄마처럼 살아가려 합니다. 절대 포기하지 않고, 무한한 사랑으로 상대방에게 기대하지 않고 겸손하며 비방이 아닌 포용하는 가르침으로 지혜롭게 삶을 살아가겠습니다.

그리움으로 엄마에게 말하고 싶고, 해주고픈 말을 편지로만 전할 수밖에 없는 마음이 너무 아프지만, 이겨내려 합니다. 엄마도 저희들과 좋은 추억만 간직하시길 빌게요. 그리고 잊지 마세요. 저희 마음속에 항상 함께 하시고 계신다는 것을.

한평생 엄마라는 직업임에도 잘 이겨 내줘서 고맙습니다.

엄마와의 좋은 추억을 간직할 수 있어 고맙습니다.

엄마라고 부를 수 있게 해주어 고맙습니다.

엄마의 이름으로 저희와 인연이 되어 주셔서 고맙습니다.

엄마, 사랑해요. 그리고 감사해요.

그리움

김수진

그리운 사람이라는 건
지금은 함께 있지 않다는

그리운 시절이라는 건
다시 돌아갈 수 없다는 것

그리움은 그렇게
과거에 머무른 듯 하지만

내가 살아가고 있는 지금도
결국은 그리움인 것을

살아간다는 건 그리움이다

에필로그, 김세희

밤이 되었습니다. 오늘도 잠이 들 때면 두 아이는 꼭 엄마를 찾습니다. 첫아이를 임신하면서 처음으로 '엄마'의 무게를 체감했습니다. 육아를 하면서 '엄마'의 자리가 얼마나 큰지를 알고 무섭기도 했습니다. 내가 없는 이 아이들의 세상은 상상하기도 싫었습니다. 부디 이 아이들에게 평생 상처가 될만한 일은 일어나지 않기를 늘 바라게 되었습니다. 그러다가 이 글을 쓰게 되었습니다. 인독기의 첫 공저 책에 늦깎이로 참여하게 되면서 이 기회의 소중함과 감사함을 알게 되었습니다. 그렇기에 두 번째 공저 책은 고민도 없이 쓰겠다고 손을 들었습니다. 그런데 글을 쓰다 보니 고민 없이 들었던 저의 손을 조금 원망하게 되었습니다.

'엄마'라는 주제는 저에게 평생 갈 숙제 같은 거였습니다. 엄마의 공석을 굳이 숨기지 않았지만 떠벌리지도 않았습니다. 그 안에 있는 구덩이는 없는 척 멍석을 덮어 가려놓았다가 당나귀 귀를 하고 싶어질 때면 한 번씩 걷어내곤 했었습니다. 만약에 내가 '엄마'에 대한 책을 쓴다면 그것은 작가가 된 지 적어도 몇 년 후의 일이라 생각했습니다. 하지만, 기회는 생각보다 더 빠르게 왔습니다. 기회는 잡는 것이 맞는데, 덥석 앞머리를 잡고 나니 이 녀석 음흉

한 미소를 짓고 있었습니다. 글을 다 쓰고 난 뒤 그 미소의 뜻을 알게 되었습니다.

저는 이 글을 쓰면서 자아성찰을 했습니다. 나도 몰랐던 나의 감정을 글을 통해서 알게 되었습니다. 아, 나는 괜찮은 것이 아니었구나. 하지만, 이제 괜찮구나. 이것만으로 나 자신에게 큰 선물을 한 기분입니다. 그런데 덤으로 엄마의 마음까지 이해를 하게 되었습니다. 사실 이 글의 숙제는 이것이었습니다. 엄마를 이해하는 것. 그리고 아주 훌륭하게 해내었습니다. 죄송합니다. 글로써 사리사욕을 챙겼습니다.

부모의 이혼은 요즘 흔하다고 하지만, 여전히 당사자들과 자녀들에게는 씻을 수 없는 상처를 남깁니다. 남들도 다 그렇게 산다고 나까지 아프지 않은 척 살 수는 없는 겁니다. 겪어보니 알겠습니다. 그래서, 나름 용기를 냈습니다. 우리 이해해 보자고, 그리고 아픈 거 맞으니까 숨기지 말고 약을 잘 발라보자고. 이 책을 읽을 누군가에게 그런 이야기를 글로 해주고 싶었습니다.

기회란 녀석의 음흉한 미소는 이런 뜻이었습니다. '너 이 녀석, 꽤 하는구나?' 이 녀석의 미소를 보게 해준 손유진 코치님과 이주희 리더님께 감사합니다. 그리고, 함께 하신 글벗들께 당신들과 함께해서 행복했다는 심심찮은 말을 건넵니다.

당신의 이름은 무엇인가요.

______________________________________님께

다시, 당신의 이름은 무엇인가요Ⅱ

지은이 권혜영, 문미영, 손유진, 인선민

발 행 2024년 3월 4일
펴낸이 한건희
기 획 이주희, 손유진
펴낸곳 주식회사 부크크
출판사등록 2014.07.15.(제2014-16호)
주 소 서울특별시 금천구 가산디지털1로 119 SK트윈타워 A동 305호
전 화 1670-8316
이메일 info@bookk.co.kr

ISBN 979-11-410-7430-2

www.bookk.co.kr